D0317126

# L'ÉNIGME DE LA MAISON ROBIE

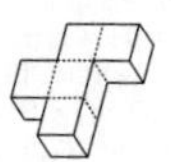

*Pour ma mère, Betsy,*
*qui comprend les carpes et les dragons* – B. B.

*Pour ma mère, Colleen* – B. H.

Certains passages sont extraits de *L'Homme invisible*, de H. G. Wells,
paru pour la première fois au Royaume-Uni en 1897 dans le *Pearson's Magazine*.

Ils ne sont pas reproduits dans leur intégralité.

L'édition originale de ce titre est parue aux États-Unis sous le titre *The Wright 3*.


Publié par arrangement spécial avec Scholastic Inc., 557 Broadway, New York, NY 10012, USA

Conforme à la loi n° 49956 du 16 juillet 1949
sur les publications destinées à la jeunesse
ISBN 978-2-09-251314-9

# L'ÉNIGME DE LA MAISON ROBIE

BLUE BALLIETT

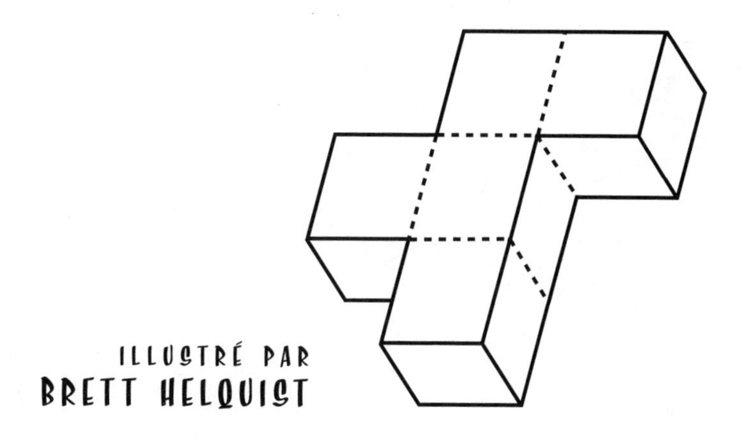

ILLUSTRÉ PAR
BRETT HELQUIST

TRADUIT DE L'ANGLAIS (USA) PAR
ALICE MARCHAND

*– Quel imbécile je suis ! s'écria l'homme invisible,*
*en tapant du poing sur la table.*
*Je vous ai mis l'idée dans la tête.*

H. G. Wells, *L'Homme invisible*

# OÙ SE DÉROULE NOTRE HISTOIRE...

1 HÔPITAL (À 10 MIN À PIED)

2 DELIA DELL HALL

3 MAISON ROBIE

4 IMMEUBLE DE TOMMY

5 BOULANGERIE MEDICI

6 COLLÈGE DE L'UNIVERSITÉ

7 MAISON DE MRS. SHARPE

8 ENTRÉE DE LA GARE

9 MAISON DE CALDER

10 CABANE DES CASTIGLIONE

11 MAISON DE PETRA

12 LIBRAIRIE D'OCCASION POWELL

13 JARDIN JAPONAIS (À 10 MIN À PIED)

# À PROPOS DES PENTOMINOS ET DE CETTE HISTOIRE

Un jeu de pentomino est un outil mathématique comprenant douze pièces, chacune constituée de cinq carrés ayant au moins un côté en commun. Les mathématiciens du monde entier se servent des pentominos pour explorer l'univers des nombres et de la géométrie. Le jeu ressemble à ceci :

Les pièces du jeu portent des noms de lettres de l'alphabet, même si chacune ne ressemble pas exactement à la lettre qui lui correspond. Avec un peu de pratique, on peut les utiliser comme des pièces de puzzle pour former des rectangles de différentes formes et tailles. Il y a des milliers de possibilités.

Si l'on remplace par des cubes les carrés qui les composent, le même jeu de pentominos apparaît en trois dimensions :

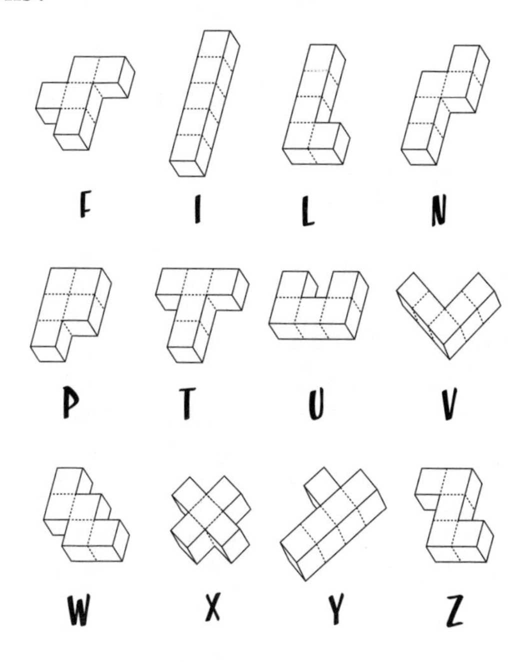


Regardez bien autour de vous : vous retrouverez des formes semblables à ces pentominos, ainsi que d'autres éléments de cette histoire. Si vous ouvrez l'œil au fur et à mesure de votre lecture, vous les verrez. N'oubliez pas que, parfois, de petits objets paraissent grands, tandis que de grands objets paraissent petits... et que ce qu'on remarque en premier n'est pas toujours ce qu'on cherche.

# À PROPOS DES ILLUSTRATIONS : DES OBJETS CACHÉS

En examinant les illustrations de Brett Helquist, vous découvrirez de nombreuses surprises. L'apparition de l'un des objets cachés suit un rythme particulier, qui reproduit un modèle bien connu ; c'est un animal que les gens apprécient dans le monde entier. Certains l'aiment vivant, d'autres le préfèrent mort. Sous des formes variables, il est présent dans l'art et la littérature depuis des millénaires.

Voici un indice : cet animal est caché dans la nature, tout comme le modèle dans lequel il s'inscrit. Il faut bien chercher et bien compter pour saisir ce que vous voyez...

# CHAPITRE 1
## *Invisible*

Le matin du 3 juin, le maçon grimpa prudemment sur le toit le plus élevé. Il était seul. Joyeux, il regarda autour de lui : c'était le printemps à Chicago ; il n'y avait pas de vent, et le monde se couvrait de bourgeons et de verdure. Des odeurs de terreau et de lilas se mêlaient aux voix des enfants de l'école, au bout de la rue. Soudain, il eut le sentiment d'avoir de la chance.

« Je suis jeune, je suis en vie et je suis pratiquement invisible, là-haut dans les arbres », se surprit-il à penser, avant de secouer la tête. Il avait vraiment de drôles d'idées ! Reportant son attention sur le célèbre toit en terre cuite, il passa la main sur la cheminée. Un morceau de brique se détacha, dégringola bruyamment et atterrit avec un « ping ! » lointain sur la terrasse, en contrebas.

À cet instant, il perdit l'équilibre. Surpris, il agita les bras pour se redresser. Avait-il posé le pied sur une tuile descellée ? Ou bien était-ce un tremblement de terre ? Il tendit l'oreille, guettant des alarmes de voitures, mais la rue était silencieuse en dessous de lui. Il y eut une deuxième secousse plus longue, et il crut voir le toit lui-même onduler dans sa direction par vagues rapides, irrégulières. La maison parut s'animer, tressauter nerveusement comme un animal qui veut se débarrasser d'une mouche. Le maçon chancela vers la gauche, puis repartit vers la droite en titubant et tomba à genoux.

– Mais qu'est-ce qu...

Sa chute fut soudaine. Un tourbillon de bleu, de branches et de panique. Il savait qu'il tomberait sur du béton. Des gouttières de cuivre passèrent devant lui à toute vitesse, et il atterrit lourdement sur le balcon, devant la salle à manger. De l'endroit où il gisait, les triangles des vitraux au-dessus de sa tête scintillaient comme des dents aiguisées. Il s'efforça de respirer, mais il avait l'impression qu'un poids énorme lui écrasait la poitrine ; il suffoquait.

« Invisible, se dit-il avec angoisse. Tu es bel et bien invisible maintenant ! » Il n'y avait personne dans la maison et il savait qu'on ne pouvait pas le voir depuis la rue... Il se demanda s'il mourrait avant qu'on le retrouve. Dans les quelques secondes avant de sombrer dans le néant, il crut entendre une petite voix d'enfant lui crier un ordre strident, mais il ne distingua pas bien les mots. Était-ce : « Viens pas chez moi ! » ou « Viens jouer chez moi ! » ?

## CHAPITRE 2

### *Un meurtre en classe*

En regardant distraitement par la baie vitrée de la salle de classe, Tommy Segovia se rongeait l'ongle du pouce, qui était déjà tout ras à force d'être mordillé. On était en juin. Il était de retour à Chicago après une absence d'un an, et tout avait changé : sa maison, son meilleur copain, sa prof. À Hyde Park, son quartier dans le sud de la ville, il avait l'impression d'être un fantôme. C'était très bizarre.

Son ancienne maison, sur Harper Avenue, avait été repeinte en vert, dans une teinte qui lui faisait penser aux tomates pas mûres. La haie touffue qui poussait devant, où il avait enterré des trésors avec son copain Calder Pillay (un cran d'arrêt rouillé trouvé près de la voie ferrée, un ballon crevé rempli de capsules de bouteilles, une boîte de pétards pleine de mues de cigales), avait disparu. À présent, de grosses fleurs blanches formaient un cercle bien net autour des fondations. La maison lui faisait pitié : elle lui évoquait un gâteau d'anniversaire renversé.

Même Calder avait changé. Tommy l'avait toujours connu coiffé en pétard, avec les cheveux hérissés sur la tête comme s'il venait de sortir du lit. Il n'y passait jamais une brosse et il avait toujours au moins une tache de nourriture séchée sur la figure. Maintenant, les lacets de ses baskets étaient noués pratiquement tous les matins, et il se lavait les dents. Il se promenait toujours avec un jeu de pentominos dans la poche, mais ce n'étaient plus les pièces en plastique plat de son souvenir. Les nouveaux pentominos de Calder étaient en trois dimensions et constitués de petits cubes orange. Les pièces étaient glissantes au toucher, et toutes brillantes ; on pouvait presque voir son reflet dans le P. Elles étaient également en plastique, mais elles faisaient un bruit différent quand Calder les remuait dans sa poche – un claquement sonore au lieu d'un petit cliquetis. Tommy préférait le bruit de celles d'avant.

Calder habitait en face de son ancienne maison et s'était fait une nouvelle amie sur Harper Avenue pendant l'absence de Tommy. Elle s'appelait Petra Andalee. Elle avait les cheveux bouclés, des lunettes à verres épais et de petites mains vives. Ses yeux lui rappelaient un singe exotique du zoo de Lincoln Park qui lui plaisait beaucoup. Elle n'aurait sûrement pas apprécié cette idée, et il n'était pas sûr de s'en réjouir non plus. Ils s'étaient rentrés dedans par accident, la veille, dans l'escalier du collège ; Tommy avait remarqué qu'elle n'était pas aussi maigre que Calder et qu'elle sentait le citron.

Âgés de douze ans tous les trois, ils étaient dans la même classe à l'école de l'université, à présent. Leur prof était une nouvelle, une jeune femme qui s'appelait miss Isabel Hussey. Elle avait les cheveux longs et toute une collection de boucles d'oreilles ; la veille, elle était venue en pyjama. Tommy trouvait qu'elle n'avait pas tellement l'allure d'une prof, mais à sa grande surprise, la classe l'écoutait attentivement.

Il avait essayé, lui aussi, mais il y avait tant de choses à regarder, tant de choses auxquelles penser, que c'était dur de se concentrer.

Les murs de la salle étaient couverts d'articles de journaux, de citations bizarres et d'empreintes de pieds de toutes les tailles, dans toutes les couleurs de l'arc-en-ciel. Les pieds faisaient le tour de la pièce dans le sens des aiguilles d'une montre ; ils formaient une frise juste en dessous du plafond, comme si un enfant parallèle au plancher avait marché sur les murs. Calder avait expliqué le principe à Tommy : chaque fois que quelqu'un lisait un livre, il inscrivait le titre et le nom de l'auteur dans un contour de son pied qu'il découpait de la feuille. Ensuite, miss Hussey l'affichait au mur.

Tommy n'était pas fan de lecture, mais en regardant tous ces pieds là-haut, il avait envie d'y voir le sien, lui aussi. Quel livre pourrait-il inscrire ? Il chercha ce qu'il avait bien pu lire pendant son année d'absence, mais ne trouva pas un seul titre. Comment miss Hussey avait-elle pu coller les pieds si haut, de toute façon ? Il l'imagina en équilibre au sommet des étagères et sur le bureau placé devant le tableau. Pas étonnant qu'elle ne porte pas souvent de jupes !

L'une des premières citations que Tommy avait remarquées était sur le mur qui lui faisait face, à l'avant de la salle. Elle disait, en majuscules noires sur du papier rouge :

L'ART EST LE MOYEN D'EXPRESSION LE PLUS EFFICACE QUI EXISTE.

JOHN DEWEY, *L'ART COMME EXPÉRIENCE*

John Dewey avait été le fondateur de l'école de l'université, au moins cent ans plus tôt. Tommy savait que c'était un type intelligent, mais il n'avait jamais entendu dire que Dewey s'intéressait particulièrement à l'art. Cette citation lui paraissait un peu idiote. Après tout, l'art ne *dit* rien à proprement parler.

Tommy lut une autre citation :

LA PENSÉE CONSISTE TOUT SIMPLEMENT À VOIR UNE CHOSE VISIBLE, QUI VOUS FAIT VOIR UNE CHOSE QUE VOUS NE REMARQUIEZ PAS, QUI VOUS FAIT VOIR UNE CHOSE INVISIBLE.

NORMAN MACLEAN, *ET AU MILIEU COULE UNE RIVIÈRE*

Celle-ci était chouette, mais difficile à décoder, un peu comme une illusion d'optique glissée dans une illustration. Chez son dentiste, quand il feuilletait les journaux pour enfants de la salle d'attente, Tommy se jetait toujours sur la page de jeux où il faut chercher des théières, des lézards ou des poissons cachés dans un dessin au trait.

Il aimait bien découvrir des choses cachées.

Calder lui avait raconté qu'ils avaient passé presque tout le premier trimestre à étudier l'art avec miss Hussey. Tommy se réjouissait secrètement d'avoir raté ça. Sauf qu'il avait également raté quelque chose d'important en décembre : Calder et cette fille, Petra, avaient fait par hasard une grande découverte. Ils avaient retrouvé un tableau volé, une œuvre célèbre peinte par un certain Vermeer. On avait parlé d'eux dans les journaux, où on les présentait comme d'extraordinaires détectives. Pour Tommy, c'était dur à avaler : tout d'abord, il était bien meilleur que son ami Calder pour retrouver des objets égarés ; et puis avant, ils faisaient toujours ensemble les choses importantes, tous les deux. Tommy était sûr que s'il n'avait pas été absent, c'est lui qui aurait retrouvé le tableau avec Calder, et qu'ils auraient mis encore moins de temps. À n'en pas douter, il avait raté un immense moment de gloire.

Par-dessus le marché, toute cette affaire de tableau avait eu un horrible avatar : un peu plus d'un an auparavant, la mère de Tommy avait rencontré un homme qu'elle avait épousé ; c'était à cause de lui qu'ils étaient partis habiter à New York tous les trois, l'été précédent. Au début, le beau-père de Tommy avait eu l'air d'un type réglo. Mais il avait participé au vol du tableau, et puis il était mort d'une crise cardiaque avant que la police ait eu le temps de l'arrêter. On avait assuré à Tommy que personne ne leur reprochait le crime, à lui ou à sa mère, mais il avait honte quand même : à Hyde Park, tout le monde était au courant, et Tommy ne supportait pas l'idée que les gens puissent les prendre en pitié.

Ils avaient prévu de revenir à Hyde Park pendant les vacances d'été, mais la bibliothèque de l'université de Chicago avait proposé son ancien poste à la mère de Tommy, plus une petite augmentation, à condition qu'elle commence début juin. Comme elle avait repris le travail, Tommy était retourné au collège. Voilà pourquoi il se retrouvait là, dix jours avant la fin de l'année scolaire, avec peu de temps pour arranger les choses. Il fronça les sourcils et tenta une fois de plus d'écouter.

En ce moment, la classe étudiait l'architecture. La semaine précédant le retour de Tommy, ils avaient visité la tour Sears et la salle de concert de Frank Gehry, dans Millenium Park. Ils n'avaient pas encore déterminé à l'unanimité si ces constructions étaient des œuvres d'art ou non. Miss Hussey avait posé beaucoup de questions du genre : « Est-ce qu'un bâtiment est une œuvre d'art si on ne peut pas le voir en entier d'un seul coup d'œil ? » « Un bâtiment peut-il être une œuvre d'art à l'extérieur mais pas à l'intérieur, ou vice versa ? » D'habitude, elle était calme et curieuse de tout, mais ce matin-là, Tommy la trouvait un peu agitée.

Elle brandissait un article de journal et semblait à peine remarquer ses élèves devant elle. En secouant lentement la tête, l'air consternée par une chose impossible à croire, elle déclara doucement :

– On parle de sauvegarde, mais ce n'est qu'un prétexte pour du pillage pur et simple.

Elle le répéta en crachant les syllabes comme si c'était

une chose répugnante qui s'était introduite dans sa bouche. Tous les bruissements et grincements de chaises cessèrent.

Elle tenait l'article à bout de bras et l'agitait. D'une voix dangereusement gaie, tout à coup, elle ajouta :

– Ou peut-être serait-il plus approprié d'appeler ça un meurtre...

Toute la classe resta interdite.

Un *meurtre* ?

# CHAPITRE 3
## *L'art et la vie*

Miss Hussey arpentait la salle, les bras croisés, et sa natte voletait comme la queue d'un animal chaque fois qu'elle changeait de sens. Aujourd'hui, elle portait des baskets rouges, un jean bleu et un long foulard noir orné d'un motif en forme de nouilles. Si ce n'étaient pas des nouilles, c'étaient de petits tuyaux de plomberie.

Elle s'arrêta, prit une nouvelle craie dans la boîte et l'examina d'un air appréciateur. Puis elle la laissa tomber par terre. La classe inspira vivement, stupéfaite : miss Hussey s'énervait toujours quand on cassait ses craies.

– Voilà. Si je récupère les morceaux, est-ce que ce sera la même craie ? Est-ce que j'en aurai deux ou trois fois plus ? Est-ce qu'elle écrira toujours aussi bien à mon goût ?

Personne ne pipa mot. Était-ce un exercice de maths compliqué qu'elle leur soumettait ? Et quel rapport cette craie pouvait-elle avoir avec un pillage... ou un meurtre ? s'interrogea Tommy, perplexe.

– Essayons.

Miss Hussey ramassa un fragment de craie et se tourna vers le tableau. Elle écrivit : L'ART ET LA VIE. La craie traçait une affreuse ligne dédoublée à chaque trait vertical.

La prof pencha la tête.

– Alors ? En fait, ce n'est pas la craie qui me préoccupe, vous savez. Je pense à une maison que certains considèrent comme une œuvre d'art. Je pense à ce qui arrive quand l'art et la vie ne font pas bon ménage. J'ai lu un article qui illustre ce problème dans le *Chicago Tribune* ce matin. Quelqu'un sait-il de quoi je parle ?

Calder leva la main.

– De la maison Robie ?

Miss Hussey acquiesça.

Tommy se retourna vivement sur sa chaise et observa les visages de ses camarades autour de lui.

Calder poursuivit :

– Mes parents m'ont dit que dans le quartier, les gens l'adorent ou la détestent.

Ses pentominos traînaient sur sa table. Il retourna le L et compléta un rectangle composé de sept pièces sur les douze.

Tandis que ses doigts travaillaient, les mots ART et VIE se mélangèrent dans son esprit. En changeant l'ordre des lettres A, R, T, V, I, E, on obtenait TRIV, le début de TRIVIAL, et VITRE. Il y avait peut-être un message là-dedans. Calder savait que le mot « trivial » qualifie une chose sans valeur ou sans importance, car sa grand-mère Ranjana l'employait, parfois ; et une vitre pouvait désigner... eh bien, un écran à travers lequel on regarde quelque chose. Mais il restait des lettres inutilisées. Pouvait-on composer un mot avec les six ? ART + VIE = RÊVAIT... Calder était impatient de raconter ça à Petra. Elle comprenait bien sa façon d'aboutir à de nouvelles idées en modifiant la disposition des anciennes.

– Pff, tu m'étonnes.

Miss Hussey fronça les sourcils.

– Qui a dit ça ? Denise ? Raconte-nous ce que tu sais au sujet de cette maison.

Denise Dodge leva un sourcil et se mit à inspecter ses ongles.

– Qui l'a construite, par exemple ? insista sèchement miss Hussey.

Denise haussa les épaules.

Miss Hussey brandit à deux mains devant elle l'article froissé – Tommy nota que le journal tremblait – et reprit :

– Écoutez ça. Peut-être que j'ai tort...

**DÉMOLITION D'UN CHEF-D'ŒUVRE DE WRIGHT**

UNE TERRIBLE NOUVELLE POUR HYDE PARK : L'UNIVERSITÉ DE CHICAGO, PROPRIÉTAIRE DE LA CÉLÈBRE MAISON ROBIE CONÇUE PAR FRANK LLOYD WRIGHT EN 1910, A ANNONCÉ AUJOURD'HUI QUE CE CHEF-D'ŒUVRE SERAIT DIVISÉ EN MORCEAUX QUI SERONT CONFIÉS À QUATRE GRANDS MUSÉES À TRAVERS LE MONDE : LE MUSEUM OF MODERN ART DE NEW YORK ET LA SMITHSONIAN INSTITUTION DE WASHINGTON, AUX ÉTATS-UNIS, LE DEUTSCHES MUSEUM DE MUNICH, EN ALLEMAGNE, ET LE MUSÉE DE MEIJI-MURA, PRÈS DE NAGOYA, AU JAPON. POUR JUSTIFIER CETTE DÉCISION, L'UNIVERSITÉ A INVOQUÉ UNE QUANTITÉ INGÉRABLE DE GROS TRAVAUX NÉCESSAIRES.

BEAUCOUP ESTIMENT QUE WRIGHT EST LE PLUS GRAND ARCHITECTE DU XXE SIÈCLE ET QUE CE JOYAU DES « MAISONS de la Prairie », la résidence qu'il a construite pour Frederick C. Robie, a révolutionné l'architecture de l'habitat domestique aux États-Unis.

La maison a été habitée par trois familles successives jusqu'en 1926, avant d'être rachetée par le Séminaire théologique de Chicago. Cet établissement rattaché à l'université de Chicago, et situé à deux pas de la maison Robie, utilisait le bâtiment de Wright comme cafétéria et comme dortoir, mais l'a laissé se dégrader sérieusement. En 1941, désireux de récupérer le terrain afin de construire de nouveaux logements pour les étudiants, le séminaire a annoncé que la maison serait rasée.

Frank Lloyd Wright en personne est intervenu. Geste sans précédent au sein du monde de l'architecture, il a rassemblé un comité d'architectes et d'historiens de l'art mondialement réputés, et proclamé que la maison Robie était « une source d'inspiration pour les architectes du monde entier ». Le séminaire a été contraint de la garder pour éviter l'opprobre.

De plus en plus décrépit, le bâtiment a survécu tant bien que mal jusqu'en 1957 ; à cette date, le séminaire a déclaré que la maison était dangereuse et qu'il fallait la démolir. Lors d'une conférence publique, le séminaire a présenté des plans définitifs pour un nouveau bâtiment sur ce site.

Wright avait alors 90 ans. Brandissant sa canne, il est revenu à Hyde Park. Il venait d'achever la conception du musée Guggenheim de New York et il était devenu une gloire nationale. Décrivant la maison Robie comme « une pierre angulaire de l'architecture moderne », et ajoutant que seule la cuisine avait besoin d'améliorations, il a convaincu le promoteur William Zeckendorf de racheter la maison au séminaire. Zeckendorf y a installé des bureaux et envisageait d'en faire don au Fonds national pour la préservation des monuments historiques. En 1963, toutefois, il a changé d'avis et l'a donnée à l'université de Chicago, qui a réaménagé presque intégralement l'intérieur pour y établir son administration.

John Stone, le président de l'université, déclare aujourd'hui : « Ce n'est qu'après de nombreuses tentatives pour rassembler des fonds, aussi bien aux États-Unis que dans le reste du monde, que nous avons pris cette douloureuse décision. Nous n'avons aucune autre solution : dans son état actuel, le bâtiment n'est pas sûr et il faudrait plusieurs millions de dollars pour effectuer les rénovations qui s'imposent, à l'intérieur comme à l'extérieur. C'est avec beaucoup de chagrin et de répugnance que nous laissons partir ce chef-d'œuvre de Wright. L'université n'a pas les moyens de le conserver. »

CETTE NOUVELLE A CHOQUÉ LES AMATEURS D'ARCHITECTURE DANS LE MONDE ENTIER, ET PROVOQUÉ UN VÉRITABLE SÉISME À HYDE PARK. LA MAISON ROBIE EST LA SEULE CRÉATION DE FRANK LLOYD WRIGHT QUE L'ARCHITECTE, AU COURS D'UNE CARRIÈRE QUI S'ÉTEND SUR PRÈS DE SOIXANTE-DIX ANS, SE SOIT JAMAIS BATTU POUR PRÉSERVER, ET CE À DEUX REPRISES. POUR BEAUCOUP, CETTE MAISON INCARNE SON STYLE ET SA PERSONNALITÉ UNIQUES. ELLE EN EST VENUE À OCCUPER UNE PLACE PRESQUE MYTHIQUE DANS L'HISTOIRE DE L'ARCHITECTURE AMÉRICAINE.

DANS UNE LETTRE ADRESSÉE À LA PRESSE, L'UNIVERSITÉ DÉFEND SA DÉCISION EN LA PRÉSENTANT COMME « UN ACTE COURAGEUX QUI PERMETTRA D'OFFRIR À DES MILLIONS DE GENS DE PAR LE MONDE UN ACCÈS À L'ŒUVRE EXTRAORDINAIRE DE WRIGHT ».

UNE ÉQUIPE A DÉJÀ COMMENCÉ À PLANIFIER LES TRAVAUX. LE DÉMANTÈLEMENT EFFECTIF DE LA MAISON COMMENCERA LE 21 JUIN.

TÉMOIGNAGE D'UN HABITANT DU QUARTIER : « ÇA ME BRISE LE CŒUR. HYDE PARK EST EN LARMES. »

Miss Hussey leva la tête. Pour une fois, elle ne demanda pas aux élèves ce qu'ils en pensaient. L'élastique qui tenait sa natte était tombé ; elle débita son commentaire à toute vitesse :

– J'ai eu mal au cœur quand j'ai lu ça. Une maison de ce genre a besoin d'air et de lumière, et c'est une unité indivisible. Quelle idée de démanteler la structure et d'en conserver des morceaux dans des *musées* !

Elle prononça le terme « musée » comme si c'était un gros mot, ce qui était un peu surprenant. Ses élèves savaient qu'elle adorait les musées.

Tommy levait à demi la main, mais il hésitait. Devait-il dire à la classe que son nouvel appartement jouxtait l'arrière de la maison Robie ? Les autres trouveraient-ils qu'il avait de la chance ?

Miss Hussey se remit à arpenter la pièce sans remarquer sa main levée. Elle poursuivit :

– Je sais que vous êtes tous passés devant bien des fois ; elle n'est qu'à trois rues d'ici. C'est une maison basse, tout en longueur. Mais n'oubliez pas que Wright l'a dessinée il y a près d'un siècle. Les choses qui nous paraissent normales aujourd'hui étaient révolutionnaires à l'époque : par exemple, les pièces en enfilade pour faciliter la circulation, l'espace ouvert sur l'extérieur grâce aux balcons et aux terrasses, l'entrée principale en retrait, les auvents qui débordent largement des façades, et le garage attenant, prévu pour trois voitures.

Elle continua sur sa lancée :

– En plus, l'aménagement intérieur est extraordinaire dans les moindres détails : le mobilier, les lampes, les boiseries du plafond, les tapis et les motifs des vitrages sont coordonnés, comme les pièces d'un puzzle. Autrefois, il y avait cent soixante-quatorze fenêtres à vitres d'art dans cette maison, ce qui représente des milliers de morceaux de verre coloré. Et presque toutes les fenêtres sont encore intactes : c'est incroyable.

Une autre main se leva ; Tommy baissa la sienne.

– Qu'est-ce que c'est, des vitres d'art ? demanda un élève.

– C'est ce que la plupart des gens appellent des « vitraux », mais Wright n'aimait pas ce terme. Il préférait parler de « vitres à résille », de « panneaux de lumière » ou de « vitres d'art ». J'aime bien cette expression – je trouve qu'elle lui correspond bien. Wright employait un langage de formes géométriques qu'il faut voir pour comprendre sa pensée, et même alors, ce qu'on voit est difficile à décoder.

Tommy trouvait miss Hussey difficile à décoder, elle aussi. Est-ce qu'elle comprenait, elle ? Et puis était-elle en colère ou emballée ?

Leur prof cessa de marcher et se tourna face aux élèves, la bouche pincée.

– Donc : l'art et la vie.

Petra Andalee fronça les sourcils.

– La maison ne pourrait pas juste rester comme elle est, vide, en attendant qu'il y ait assez d'argent ?

Miss Hussey inspira vivement, comme si elle avait touché quelque chose de brûlant.

– Dans un monde idéal, oui. Dans le monde réel, non. L'université n'a sans doute pas les moyens de posséder un terrain qu'elle ne peut pas exploiter, et si une partie de la maison s'écroulait sur un passant, le propriétaire serait tenu responsable.

– On pourrait peut-être aller la visiter pour trouver des idées, suggéra Calder.

– J'aimerais bien, mais voilà plus d'un an qu'ils n'ont pas admis de visiteurs à l'intérieur, et elle est inhabitée depuis 1926. C'est vraiment absurde, bien sûr, quand on sait que cette maison a été conçue pour les enfants.

Miss Hussey s'interrompit, en enroulant le bout d'une mèche autour d'un doigt. La classe attendit, sachant ce que ça signifiait : elle réfléchissait à une chose qu'elle hésitait à leur confier.

– D'ailleurs, reprit-elle enfin sur un ton de confidence, je me suis toujours demandé pourquoi Wright s'intéressait tellement aux espaces de jeu. À l'époque où il travaillait sur la maison Robie, il venait juste de quitter sa femme et ses six enfants. Et pourtant, voilà qu'il cherche à créer un lieu qui pourrait rendre heureux les enfants de quelqu'un d'autre, sans présenter de danger. Peut-être qu'il essayait de se racheter... Une manière de demander pardon à l'univers...

Tommy tripota un autocollant sur sa table, en prenant soin de ne pas lever les yeux. Aucun de ses pères à lui n'avait jamais demandé pardon. Son vrai père était mort en Amérique du Sud quand Tommy était encore un bébé : il s'était fait arrêter lors d'une manifestation et personne ne l'avait jamais revu. Quant à son beau-père, il leur avait fait

un paquet de promesses au départ, mais n'en avait tenu aucune.

– Quoi qu'il en soit, déclara miss Hussey en reprenant un ton sérieux, ça semble criminel de détruire une maison pareille, vous ne trouvez pas ?

– Je trouve qu'on ne dirait pas une maison – un endroit où des gens pourraient habiter, intervint l'un des enfants.

– Vraiment ? dit miss Hussey, l'air satisfaite. Nous devrions peut-être chercher à savoir si ce bâtiment est toujours une maison, et s'il peut le rester en étant vide. Et surtout, si une maison peut également être une œuvre d'art...

La classe se taisait. Quelqu'un poussa un soupir. Miss Hussey balaya la salle du regard, puis soupira à son tour.

– D'accord. C'est peut-être déraisonnable de démarrer une enquête aussi tard dans l'année. Mais il n'est jamais trop tard pour réfléchir. Que pourrions-nous faire ? Œuvre d'art ou pas, la maison Robie a toujours fait partie de Hyde Park dans vos souvenirs, dans ceux de vos parents et peut-être même dans ceux de vos grands-parents. C'est vraiment insupportable d'imaginer qu'on la détruise.

Leur prof s'assit sur un radiateur. Elle avait ramassé le galet rond qui décorait son bureau – une pierre grise avec deux bandes blanches bien nettes entrecroisées sur chaque face. Elle l'appelait son porte-bonheur, et quand elle le prenait en main, c'était le signe qu'elle était inquiète ou bouleversée. Et voilà qu'elle le serrait entre ses deux mains. Sa silhouette se découpait dans la lumière du soleil qui entrait par la fenêtre derrière elle.

– Mais vous avez dit que c'était un meurtre ! explosa Calder.

– Miss Hussey, vous n'abandonnez jamais ! Pourquoi vous n'essayez pas de nous convaincre ? renchérit quelqu'un d'autre.

– Je n'aurais sans doute pas dû...

Miss Hussey s'interrompit : une ambulance passa devant la fenêtre de la salle de classe, toutes sirènes hurlantes. Ils auraient tous été effrayés par la coïncidence s'ils avaient su qui se trouvait à l'intérieur : un maçon de la maison Robie que l'on emmenait d'urgence à l'hôpital – un homme qui était tombé d'un peu plus haut, ce matin-là, que la craie de la prof.

La cloche sonna.

Le cours était fini ; Tommy se leva pour partir. Il jeta un coup d'œil à Calder, trois sièges plus loin. Son copain regarda d'abord Petra avant de se tourner vers lui.

« Ah, c'est comme ça ? » songea Tommy avec amertume. Il fonça vers la porte, en bousculant Denise au passage. Elle écarquilla les yeux, puis les plissa comme pour indiquer qu'elle avait tout vu.

Tommy s'éloigna précipitamment. Il avait envie de donner un coup de pied dans quelque chose.

# CHAPITRE 4
## *Une trouvaille*

À la fin de la journée, Tommy quitta le collège en solitaire. Il ne vit ni Calder ni Petra en sortant. Ils habitaient à trois cents mètres à l'est du collège, et lui, désormais, à trois cents mètres à l'ouest.

Il essaya de se convaincre que ça ne le dérangeait pas, de rentrer tout seul. Après tout, il vivait à côté d'une maison célèbre qui allait être démolie. Il la voyait par la fenêtre de sa chambre, et depuis ce poste d'observation, il pourrait être témoin d'un *meurtre*. Pas un vrai, bien sûr : un bâtiment, ce n'est pas un être vivant. Mais c'était drôlement intéressant d'avoir une prof qui parlait de meurtre.

Sur le chemin, Tommy examina attentivement la création de Frank Lloyd Wright. Elle lui faisait penser à une pile de gaufres irrégulière, ou peut-être à une pyramide aplatie, ou encore à un wagon. Miss Hussey avait raison : cette maison était longue et basse, composée de plusieurs couches. Tout l'assemblage paraissait truqué, comme ces boîtes magiques qui font disparaître un billet de banque quand on referme un tiroir – sauf qu'ici, les tiroirs restaient toujours sortis. Il y avait des murs et des toits à une dizaine de niveaux différents, et des centaines de fenêtres de toutes les tailles. Les triangles et les parallélogrammes des vitraux formaient des motifs changeants. En passant lentement devant, Tommy eut l'impression qu'ils lui adressaient des signaux en scintillant par intermittences. Il ne se souvenait pas d'avoir déjà remarqué cet éventail de couleurs : il y avait des turquoise, des bleus, des verts, des violets. La vache ! Quel gâchis de démolir tout ça !

Le bâtiment était entouré d'un cordon de sécurité. Le ruban jaune disait : ENTRÉE INTERDITE. Était-il déjà là ce matin ? Non, Tommy l'aurait remarqué.

Une fois chez lui, il nourrit son poisson rouge. Sa mère, Zelda Segovia, ne rentrerait pas de son travail à la bibliothèque avant une heure. D'origine anglaise, elle avait une tête d'écureuil avec ses cheveux argentés qu'elle coupait toujours courts, et ses deux yeux n'avaient pas la même couleur : elle avait un œil noisette et un œil bleu. Tommy ressemblait à son père, qui venait de Colombie. Avec sa mère, il avait souvent déménagé et il prenait toujours soin de donner à son poisson rouge une fenêtre avec vue. Goldman faisait partie de la famille depuis des années.

– Tu habites à côté d'un bâtiment exceptionnel, maintenant, lui annonça Tommy.

Le poisson ouvrit et referma la bouche, comme pour dire qu'il comprenait.

En scrutant l'aquarium de Goldman, Tommy vit la façade arrière de la maison Robie à travers l'eau. Il était parfaitement sûr que le bâtiment était vide ; soudain, il eut une idée. Et s'il se faufilait sous le cordon de sécurité pour jeter un coup d'œil dans le jardin, de l'autre côté ? Un mur séparait le jardin de la rue, donc Tommy serait plus ou moins caché. S'il creusait un peu lui-même, avant que quelqu'un d'autre de sa classe ait l'idée de venir mener son enquête, il aurait du nouveau à leur annoncer. Une bonne occasion de rappeler aux autres qu'il avait beaucoup de cran. Et s'il trouvait carrément un trésor ?

Après tout, Tommy était un découvreur. Son père faisait des études d'archéologie, à l'époque de sa mort, et sa mère lui avait dit que le don de trouver des choses devait être héréditaire. Depuis son plus jeune âge, Tommy récupérait et triait des « trésors de la rue », comme les appelait Zelda. Il était capable de repérer des trèfles à quatre feuilles sans chercher : il en possédait au moins cinquante pressés dans un annuaire. Il avait des boîtes remplies de vieux bâtonnets de glace, de boutons, de talons de tickets de cinéma et de restes de pétards. Mais son bien le plus précieux était sa collection de poissons, qu'il conservait sur une étagère spéciale : il avait des poissons en caoutchouc ou en plastique brillant, des cartes postales, des gravures dénichées à Chinatown, des poissons du Mexique en argile noire et des cadeaux que les gens lui rapportaient de voyage. Un poisson-zèbre en bois trônait à côté d'un flet en verre doté d'un œil en argent. Un poisson-globe en noix de coco se rengorgeait au-dessus d'une truite en fer-blanc. Il avait même un barracuda empaillé, avec sa panoplie de dents acérées, et un requin en pâte d'amandes rapporté d'Europe qui était trop finement exécuté pour qu'on le mange.

Tommy jeta un dernier coup d'œil à la maison Robie et chuchota à Goldman :

– Souhaite-moi bonne chance !

Enfin, il sortit et descendit précipitamment l'escalier.

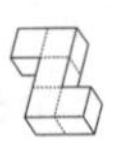

Il attendit que le trottoir soit désert, puis se glissa sous le cordon de sécurité et se faufila dans le jardin. Il longea le mur à quatre pattes, le cœur battant.

Aurait-il des ennuis si quelqu'un le remarquait ? Il suffirait d'un petit mensonge : il n'aurait qu'à prétendre qu'il avait repéré une pièce de vingt-cinq cents et qu'il était allé la chercher. Il s'agenouilla dans la terre et sortit le canif qu'il utilisait pour creuser, doté d'une fourchette à une extrémité et d'une cuillère à l'autre.

Dix minutes plus tard, il avait trouvé un bouton rouge, un verre de lunettes de soleil et une boucle d'oreille ornée d'une perle brisée. Puis sa fourchette heurta quelque chose de plus grand.

Il était à une vingtaine de centimètres de la surface, à présent. Il abandonna son canif et creusa avec les deux mains. Là ! Il avait découvert une pierre sculptée qui avait environ la taille d'une patère… Tommy souleva une motte de terre qui retomba en projetant une petite pluie de cailloux, et se rassit sur ses talons, en grattant avec ses ongles la terre agglutinée sur l'objet.

Non… Était-ce possible ? Oubliant de se cacher, Tommy se leva d'un bond et sauta par-dessus le cordon de sécurité en poussant un cri de joie. Il manqua renverser une vieille dame qui marchait avec une canne.

– Tu n'es pas censé entrer là-dedans, mon petit ! lui lança-t-elle – mais il était trop excité pour s'arrêter.

En tournant à toute allure au coin de la rue, il jeta un coup d'œil vers la maison, avec l'espoir que personne d'autre ne l'avait vu. Les lignes qui délimitaient les segments des vitraux du rez-de-chaussée lui évoquèrent soudain un filet vide.

Il monta les marches quatre à quatre pour aller nettoyer sa trouvaille.

# CHAPITRE 5
## *Les récits de la voie ferrée*

Petra et Calder rentrèrent du collège dans un silence quasi total, comme si la présence de Tommy se faisait sentir tout autour d'eux. Cet hiver, ils avaient souvent traîné ensemble après les cours – à se creuser la tête sur des mystères, manger un goûter ou se promener dans le campus –, mais à présent, ils se sentaient mal à l'aise.

Petra s'était doutée qu'il y aurait des problèmes dès le retour de Tommy. Les retrouvailles avaient eu lieu deux jours plus tôt, le 1er juin ; Calder leur avait donné rendez-vous devant chez lui.

– Salut ! Vous vous souvenez l'un de l'autre ? avait-il lancé gaiement.

Tommy avait regardé par terre, et Petra vers le ciel.

Le nouvel arrivant était le plus petit des trois. Vue de derrière, sa tête évoquait une bille noire : elle était incroyablement ronde et il avait des cheveux brillants, coupés à ras. Quand il ouvrait la bouche, on voyait une dent pointue dont il avait cassé un petit bout. Ses yeux noirs ressemblaient à des raisins secs plantés dans un pain d'épices.

Il avait gardé les bras croisés sur sa poitrine et parlé à Calder comme si Petra n'était pas là :

– Tu te rappelles, en CE2, quand on a mis du savon liquide dans le café de la remplaçante ?

Calder s'était illuminé et lui avait donné un coup de poing dans le bras.

– Et tu te rappelles la fois où on a fait croire à la fille du terrain de jeux qu'on ne parlait pas anglais et où elle a déballé tous ses secrets devant nous ?

Calder avait hoché la tête, hilare, sans paraître remarquer le malaise de Petra.

Elle était partie peu après, en marmonnant quelque chose au sujet de ses devoirs. C'était clair : Tommy ne voulait pas qu'une fille quelconque s'incruste dans sa relation avec Calder. Mais c'était injuste : Petra n'avait jamais été « une fille quelconque ».

En rentrant chez elle, ce jour-là, elle avait été accueillie par une légère odeur de poubelle et de tartines brûlées. L'une de ses sœurs était passée au galop devant elle, une boîte à chaussures sur la tête, en faisant avancer leurs deux frères cadets à coups de spatule. Le chien les avait doublés avec une brosse à dents collée sur le dos.

Petra avait quatre frères et sœurs, et sa maison était un fouillis de jouets cassés, de nourriture fugueuse et de baskets de toutes les tailles. Son père, Frank Andalee, était un physicien qui avait de la famille au Maghreb et aux Pays-Bas, et sa mère, Norma Andalee, une poétesse du Moyen-Orient. Chez eux, le volume sonore des conversations, menées dans plusieurs langues, était toujours élevé, et de joyeuses crises éclataient à tout va : des clés avaient disparu, un article de journal important avait servi à tapisser la litière du chat, un téléphone portable était tombé dans les toilettes... Dans la famille Andalee, rien n'était simple ou prévisible.

Tommy et Calder étaient tous les deux enfants uniques, et Petra les enviait. Ne pas être obligé d'engloutir les biscuits encore trop chauds de peur qu'il n'en reste plus un seul un peu plus tard, ne pas être obligé d'aider à démêler les tignasses et à débarbouiller les frimousses avant la classe... La belle vie !

En l'entendant arriver, cet après-midi-là, la mère de Petra avait glissé la tête par la porte de la cuisine.

– Tu peux aller me chercher du lait et un oignon ? Tout de suite ? Merci, chérie...

En ressortant, Petra avait espéré que Calder et Tommy seraient partis. En effet, ils n'étaient plus là ; mais soudain, elle avait regretté de ne pas retomber sur eux. Étaient-ils chez Calder ? Disait-il à Tommy qu'il lui avait beaucoup manqué ?

En passant devant Powell, la librairie du coin, Petra avait jeté un coup d'œil dans la boîte de livres à donner, qui était toujours dehors. Powell ne pouvait pas garder tous les livres d'occasion que les gens apportaient, alors beaucoup se retrouvaient dans un carton placé à gauche de l'entrée. Tous les habitants de Hyde Park s'y arrêtaient pour les passer en revue.

Ce jour-là, il y avait des livres de cuisine, un dictionnaire et un petit livre usé, au format de poche. Petra l'avait pris pour l'examiner. La couverture était vert foncé, illustrée d'un personnage sans tête : un homme debout, calme, dans un costume noir avec chemise blanche et cravate rouge. Un chapeau melon flottait au-dessus de l'endroit où la tête aurait dû se trouver. Entre le chapeau et le col vide, il y avait un titre.

– *L'Homme invisible*, avait lu Petra à haute voix.

Elle l'avait ouvert à la première page. Quelqu'un avait surligné les mots « un incroyable coup de chance » avec un marqueur orange. Elle avait feuilleté l'ouvrage, hésitant à le rapporter chez elle. Elle n'aimait pas trop les livres gribouillés.

À cet instant, une bouffée d'air chaud lui avait touché la joue, comme pour lui souffler : *Si, emporte-moi*. Petra avait haussé les épaules et glissé le livre dans la poche arrière de son jean.

Avec un peu de chance, avait-elle pensé de mauvaise grâce, Tommy deviendrait invisible, lui aussi.

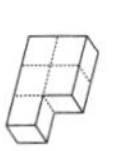

Mais à présent, deux jours plus tard, c'était elle qui était devenue invisible : Calder, content de retrouver son copain, se laissait accaparer par Tommy, et Tommy (qui n'était pas content de voir Petra !) l'ignorait allègrement. Même si elle était seule avec Calder à cet instant, ce n'était plus pareil. Il s'était passé beaucoup de choses au collège aujourd'hui, avec cette terrible nouvelle au sujet de la maison Robie, mais ils ne se parlaient pas.

Ils arrivèrent devant chez Petra en premier ; ils se dirent au revoir et elle monta rapidement les marches du perron. Une fois à l'intérieur, elle gagna directement sa chambre.

« Écris, se dit-elle avec fermeté, écris. » Elle se sentait toujours mieux quand elle écrivait. « Tu as de bons sujets d'inspiration. L'art. Le meurtre. Concentre-toi. » Toute la journée, elle avait eu l'impression d'avoir l'esprit engourdi, cabossé en quelque sorte, comme si quelque chose lui était tombé dessus lourdement. « Ouais, un garçon à la tête ronde, par exemple ! » songea-t-elle avec ironie.

Le bureau de Petra était placé devant la fenêtre. En regardant dehors, elle ouvrit son carnet et attendit.

Harper Avenue était une rue étroite, sinueuse, qui longeait la voie ferrée. La fenêtre de Petra, comme celle de Calder, donnait sur un tableau de lignes horizontales et verticales parsemées de graviers et de feuillages : les rails métalliques, les traverses en bois qui les reliaient, les arbres aux troncs élancés de part et d'autre du remblai. Petra adorait les scènes encadrées dans les fenêtres des trains qu'elle voyait défiler : elle avait aperçu des profils en pleine dispute, des bouches ouvertes dans un éclat de rire ou une expression d'horreur, des nez écrasés contre la vitre. Selon qu'elle gardait les yeux fixes ou les laissait dériver avec les wagons, elle voyait ou bien une séquence floue ponctuée par des traînées de couleurs vives, ou bien une scène unique entrevue un instant. Elle notait ces impressions dans une section de son carnet intitulée « Récits de la voie ferrée » qu'elle avait l'intention d'utiliser un jour dans un roman. D'après elle, les trains dévoilaient toujours des secrets précieux.

« Guetter à la fenêtre, c'est un peu comme prendre un bain chaud, songea Petra, sauf qu'on regarde par une vitre au lieu d'être assis dans l'eau, et qu'on n'a pas besoin de se mouiller. » Elle soupira, sachant qu'elle faisait de curieuses associations d'idées. Les métaphores et les comparaisons crépitaient dans son cerveau comme des éclairs de chaleur dans un ciel d'été. Parfois, au fond d'elle-même, elle avait le sentiment que ses écrits la rendraient célèbre, un jour, mais elle chassait vite cette idée. Il y avait un tel fossé entre un véritable écrivain et un enfant qui voulait le devenir !

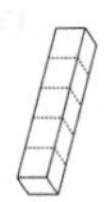

Les deux amis l'ignoraient encore, mais Calder aussi regardait par la fenêtre de sa chambre. Ses parents ne rentreraient pas du travail avant une heure ; il s'était préparé un sandwich au beurre de cacahuètes et à la confiture qu'il avait emporté à l'étage pour attendre. Depuis la mort de sa grand-mère Ranjana, deux ans plus tôt, la maison était affreusement silencieuse l'après-midi. Quand il était seul en bas, son fauteuil à bascule vide devant la fenêtre qui donnait sur la rue le rendait triste et, en même temps, lui donnait un peu la chair de poule.

Comme Petra et Tommy, Calder était issu d'un mélange inhabituel : son père, Walter Pillay, venait d'Inde et dessinait des jardins pour la municipalité ; sa mère, Yvette Pillay, était canadienne et professeur de mathématiques. Son père s'occupait presque toujours de la cuisine et du jardin, tandis que sa mère se chargeait du bavardage et faisait beaucoup de tricot élaboré. La famille habitait une jolie maison rouge nichée au milieu d'un assortiment expérimental de plantes. Au printemps, chacune avait son étiquette jaune ; leurs noms latins ondulaient et s'agitaient gaiement, jusqu'à ce qu'ils disparaissent sous les feuilles.

Cet après-midi-là, pendant que Petra guettait une histoire de train, Calder attendait une occasion de jouer aux rectangles aveugles, un jeu dont il avait inventé les règles lui-même : dès qu'un train de marchandises apparaissait, il lâchait ses pentominos sur son bureau et il essayait de constituer un rectangle en gardant les yeux fixés sur le train, pour compter les wagons tout en laissant ses doigts travailler aussi vite que possible sans l'aide de ses yeux. L'autre jour, il avait fait un huit-pièces le temps que soixante-douze wagons défilent. Comme 9 x 8 = 72, il avait conclu qu'il fallait neuf wagons par pentomino pour ce rectangle-là. C'était un exercice aussi dur que se tapoter la tête en se frottant le ventre en même temps, et Calder était d'humeur à attaquer quelque chose de difficile.

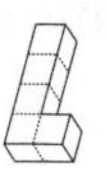

Calder et Petra entendirent l'un comme l'autre le chuintement d'un train à l'approche. La locomotive apparut et, presque aussitôt, Petra vit une scène qui la fit se dresser sur ses pieds.

Un homme vêtu d'une longue cape noire était debout devant la fenêtre d'un wagon qui semblait désert. Pendant que le train passait à toute vitesse, il ouvrit le haut de la fenêtre d'un coup sec. Sa cape se mit à onduler et tourbillonner autour de lui ; il lâcha un petit objet du bout des doigts, et Petra crut voir des pages voleter pendant que le train s'éloignait. Tout cela s'était déroulé en moins d'une seconde ; soudain, la voie ferrée fut vide et le rugissement du train s'estompa dans la lumière de fin d'après-midi.

Sans prendre le temps de réfléchir, Petra sortit de chez elle et courut vers la maison de Calder. Elle cogna à la porte. Pas de réponse. Elle frappa de nouveau, et entendit bientôt un bruit de pas précipités dans l'escalier : Calder descendait de sa chambre.

Le souffle court, Petra lui expliqua rapidement ce qu'elle avait vu.

Calder fourra ses pieds dans ses baskets. Petra sourit en voyant qu'il la prenait au sérieux et, soudain, le malaise entre eux s'évapora. Tandis qu'ils grimpaient sur le remblai de la voie ferrée derrière la maison de Calder, Petra ne put s'empêcher de se réjouir que Tommy ne soit pas là aussi.

Ils n'avaient pas le droit de s'aventurer là-haut, mais s'ils attendaient qu'un adulte revienne et accepte de les y

accompagner plus tard, le mystérieux objet aurait disparu. En plus, leurs parents refuseraient peut-être de prendre cette peine : les adultes manquent d'imagination, parfois.

Petra et Calder arrivèrent essoufflés à la hauteur des arbres qui bordaient la voie ferrée. Un autre train arrivait, mais dans le sens inverse. En s'approchant, la locomotive émit un coup de sifflet furieux.

– Il nous a vus. Et s'il appelait la police ? s'inquiéta Calder.

– Dépêche-toi !

Calder et Petra coururent sur les graviers, longeant le haut de la butte en direction du nord, vers la maison de Petra. Ils dénichèrent des sachets de chips, un bonnet de bain, une chaussure écrasée, des mégots de cigarettes... et puis ils virent ce qu'ils cherchaient.

# CHAPITRE 6

## *Les nouveaux pentominos*

Un petit livre ouvert se dressait devant eux, comme si un lecteur venait juste de le reposer. Petra le ramassa et l'essuya délicatement sur sa chemise.

– Ouah !

– Quoi ? demanda Calder.

– J'ai trouvé le même livre chez Powell avant-hier !

Soudain angoissée, Petra regarda autour d'eux.

Calder hocha la tête.

– Une coïncidence ?

Il lui sourit avec un air étrangement nostalgique. Les deux enfants se remémorèrent l'automne précédent : c'était une série de coïncidences magiques qui les avait amenés à découvrir et à sauver le tableau volé. Du bon « travail de groupe », comme disait miss Hussey. Ils avaient mystérieusement réussi à deux des choses qu'aucun d'eux n'aurait pu faire seul. En redescendant le remblai vers le jardin de Calder, chacun se posait la même question : « Le travail de groupe, est-ce que ça marche à trois ? »

Devant l'entrée de chez son ami, Petra tapa du pied pour enlever la terre de sa chaussure.

– Tu n'as qu'à garder le livre. On pourra le lire tous les deux, comme ça.

En disant « tous les deux », Petra s'aperçut qu'elle excluait Tommy. Elle ne l'avait pas vraiment fait exprès.

Calder feuilleta le livre, notant les petits caractères et les mots compliqués.

– Non, merci. Tu n'auras qu'à me raconter.

Il resta planté devant chez lui pendant qu'elle s'éloignait, et se demanda pourquoi il ne l'avait pas invitée à entrer.

Quelques instants plus tard, en regardant par la fenêtre du salon, Petra se demanda pourquoi elle n'avait pas invité Calder à passer chez elle. Elle examina la rue déserte et eut soudain l'impression que quelqu'un l'observait. Mais non. C'était ridicule.

En haut, dans sa chambre, elle fouilla dans un tas de vêtements sales en quête du jean qu'elle portait l'avant-veille, quand elle avait récupéré un exemplaire de *L'Homme invisible*.

Elle dénicha le livre dans une poche arrière, l'ouvrit à la première page et regarda de nouveau les mots surlignés en orange : « *un incroyable coup de chance* ». Puis elle ouvrit celui de la voie ferrée et le feuilleta.

Au milieu du deuxième livre, des traits de marqueur orange lui sautèrent aux yeux : « *Je me vois encore, fantôme maigre et noir* »...

L'homme du train ! Est-ce que c'était lui qui avait surligné ce passage ? Se reconnaissait-il dans cette phrase ? Et était-ce encore lui qui avait abandonné le premier exemplaire, celui qu'elle avait trouvé chez Powell ?

Petra s'affala sur son lit et commença la lecture.

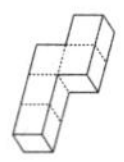

De retour dans sa chambre, à l'étage, Calder effleura du bout des doigts ses pentominos orange, sur sa table. Il adorait ce nouveau jeu en trois dimensions. C'était Mrs. Sharpe, sa vieille voisine, qui le lui avait offert. Elle l'avait commandé cet hiver, mais il était difficile à obtenir et n'était arrivé que la semaine précédente.

Se promener avec ce jeu-là, c'était comme avoir douze formes du monde réel dans la poche. Quand il les tripotait – et il les tripotait sans arrêt –, il s'apercevait que certaines pièces lui faisaient penser à de véritables objets. Le W ressemblait à un escalier ; le P, au bout du bras du fauteuil à bascule de sa grand-mère ; le T, à une petite table ; le N, à un gratte-ciel qui s'étire vers les nuages...

Pendant qu'il alignait ses pentominos debout sur le rebord de sa fenêtre, les lettres A, R, T, V, I, E lui revinrent subitement à l'esprit. Il les nota sur un bout de papier. Il entendait encore la voix furibonde de miss Hussey tempêter : « On parle de sauvegarde, mais ce n'est qu'un prétexte pour du pillage pur et simple », et il se demanda si la maison Robie était une chose *triviale* ou une *vitre*. Marrante, cette idée : la maison était-elle sans importance, ou était-ce un écran, un filtre à travers lequel regarder le monde ? Et qui en *rêvait* ? Calder n'avait pas raconté à Petra ses déductions sur l'art et la vie pendant qu'ils étaient au collège, parce que la présence de Tommy le mettait mal à l'aise. Et sur le chemin du retour, il n'y avait plus pensé.

Trois lettres sur les six étaient des pentominos : V, I et T. *Vite* ? En interchangeant les lettres dans ART ET VIE, on obtenait VITE RATÉ. Cette idée amuserait Tommy, et Petra apprécierait l'équation ART + VIE = RÊVAIT... Calder soupira, sans doute pour la cinquantième fois en trois jours. *Quand* Tommy et Petra consentiraient-ils à devenir amis ?

Soudain, il s'aperçut que les mots ART ET VIE pouvaient s'entendre ARRÊT VIE. Était-ce une menace ? Une menace de mort ? Avec les lettres A, R, T, E, T, V, I, E, on pouvait composer les mots : À ÉVITER... Mais ça laissait de côté un T inutilisé, remarqua Calder avec soulagement, alors ça ne voulait sans doute rien dire. Il regarda encore. TA VÉRITÉ... C'était plus engageant. Il sourit de nouveau, décidé à entraîner ses *deux* amis dans cette affaire.

Il entendit des pas d'éléphant sur le perron, ainsi que le claquement métallique de la boîte à lettres encastrée dans la porte d'entrée quand quelqu'un ouvrit puis relâcha le battant. Tommy jetait toujours un coup d'œil dans la fente avant de sonner. Comme prévu, la sonnette retentit. Calder redescendit.

– Salut, Tommy.

– Salut. J'ai trouvé quelque chose d'étonnant.

Tommy avait une main dans la poche de son short. Ses genoux étaient noirs de terre. Calder devina pourquoi et attendit avec excitation, en s'étonnant de la coïncidence :

Petra et lui venaient justement de trouver quelque chose, eux aussi.

Tommy sortit une petite pierre sculptée qui ressemblait à un point d'interrogation sans le point. Elle avait une tête de poisson – ou était-ce un dragon ? – à un bout, et de minuscules spirales partout sur le corps. Elle avait l'air ancienne.

– Génial ! Qu'est-ce que c'est ? Tu l'as trouvée où ?

Tommy haussa les épaules et sourit.

Les deux garçons avaient passé de nombreuses années à glaner, creuser et trier – Tommy faisait les repérages et Calder se chargeait de l'inventaire. Tommy avait gardé la plupart de leurs découvertes. Cela n'avait pas gêné Calder. Ils formaient une équipe, et ranger leurs trouvailles par catégories lui paraissait plus intéressant que les garder. Quand quelque chose leur faisait envie à tous les deux, Tommy se montrait toujours généreux.

– Attends que Pe...

Quand ces mots s'échappèrent de la bouche de Calder, une ombre passa sur le visage de Tommy. La pierre disparut dans sa poche.

– Oh, Tommy ! Elle est vraiment maligne. Pourquoi tu ne l'aimes pas ?

Tommy regarda son ami, les yeux presque fermés.

– Peut-être justement pour ça, marmonna-t-il.

– Pas maligne dans le mauvais sens, maligne dans le *bon* sens, insista Calder, conscient que sa remarque paraissait idiote. C'est une copine.

Tommy haussa les épaules.

– J'dois y aller.

Il claqua la porte de chez Calder derrière lui en partant.

– Oups ! souffla-t-il.

D'accord, songea Calder, furieux. Comment avait-il pu s'imaginer que Tommy et Petra s'entendraient bien ? C'était un *enfer* de jouer les équilibristes entre les deux.

De retour dans sa chambre, il se concentra sur ses nouveaux pentominos ; réfléchir à des formes lui réussissait toujours mieux que penser à des gens. Les pentominos étaient passionnants en deux dimensions, mais en trois, ils étaient extraordinaires. Si jamais Calder dirigeait une école un jour, il aurait une salle remplie de pentominos géants, et rien d'autre. Les enfants pourraient les empiler, grimper dessus, ou même s'en servir pour épeler des mots. Et les jeux de la cour de récréation seraient constitués de combinaisons des douze pièces, conçues par les enfants eux-mêmes. Peut-être même les pupitres et les chaises... Calder s'imagina assis sur un Y renversé, écrivant sur un bureau en T. Les possibilités étaient infinies.

Il coucha le Y sur son côté le plus long en fredonnant, puis posa le T d'aplomb au bout du Y et appuya le I contre le bord du T. Ensuite, il plaça le V par-dessus le T. Ça lui rappelait quelque chose... Mais quoi ?

Il démolit la structure et reprit son jeu en fermant les yeux, choisissant trois pentominos au hasard. Il examina les pièces qu'il avait piochées et coucha le L sur son côté le plus long, avec le pied en l'air. Ensuite, il posa le F à l'envers par-dessus, en les ajustant pour former une sorte de pyramide. Le W vint chapeauter le F, comme un M penché. Une fois de plus, cette forme lui parut familière.

Il la démolit et recommença. Le W était un W, cette fois, couché sur un côté. Le L entrait dans son dos, créant un escalier avec quatre marches régulières. Posé sur le flanc, le F chapeautait le tout. Calder avait construit une forme différente, mais elle titillait tout de même quelque chose dans sa mémoire. Il saisit le N et se gratta vigoureusement le crâne avec.

Décidé à percer ce mystère, il fit une nouvelle expérience avec le F tête en bas. Il accola le W à son flanc gauche, puis ajouta le L à l'envers, du côté droit. Une fois de plus, il eut l'impression entêtante de reconnaître cette forme. Peut-être que les assemblages qu'il construisait avec des pentominos en trois dimensions lui rappelleraient *toujours* quelque chose qu'il avait vu avant, tout simplement. Il était naturel que ces formes lui paraissent familières : après tout, les villes étaient pleines d'angles droits, de marches et de surplombs.

Il renversa encore les trois pièces et redressa le F dans le bon sens. Puis il donna un coup de poing sur la table et bondit sur ses pieds.

Comment avait-il pu ne pas voir ça ?

# CHAPITRE 7
## *À éviter…*

Tandis que Calder courait dans Harper Avenue en direction de la 59e Rue, Petra sortit sur le perron de sa maison. Elle écouta pendant un moment le « clac-clac » de ses sandales sur le trottoir.

Sa mère lui avait demandé d'acheter des pommes de terre, mais… où allait Calder si précipitamment ? Petra descendit les marches du perron en deux enjambées et s'élança à sa suite. Elle ne l'espionnait pas, se dit-elle, elle était juste curieuse. En plus, l'atmosphère était délicieusement calme dehors, et c'était le moment idéal pour faire un petit détour. Petra adorait cette heure de la journée, quand la fin d'après-midi bascule vers le début de la soirée et que les ombres des jardins dessinent des fleurs et des feuilles immenses sur le trottoir. Elle descendit sur la chaussée pour éviter une forme évoquant un homme en pleine chute. Ce que dessinaient les ombres était-il juste accidentel ? Parfois, cela semblait être bien davantage.

Petra vit Calder contourner les bâtiments de l'école de l'université et obliquer vers l'ouest, en direction de la maison Robie. Elle jeta un coup d'œil dans la 58e Rue, vers Woodlawn Avenue, à l'instant où Calder s'approchait du muret bas qui entourait la propriété. En s'arrêtant pour reprendre son souffle, elle le vit extraire une poignée de pentominos de sa poche. Elle le rejoignit.

– Petra ! Qu'est-ce que tu fais ici ?

– J'étais sortie regarder les ombres.

Calder hocha la tête. Il savait que Petra avait le don de remarquer des choses que la plupart des gens ne voyaient qu'à peine.

– Eh bien, regarde : en piochant des pentominos, j'ai tiré ces trois-là, et ce sont les initiales de Frank Lloyd Wright ! En plus, je suis sûr qu'on peut reconstituer des parties de la maison Robie avec ces trois pièces. J'ai couru ici pour vérifier.

– Incroyable !

Petra adorait la façon qu'avait Calder de réfléchir à l'aide de ses pentominos. Elle le regarda expérimenter plusieurs combinaisons du F, du L et du W en les posant soigneusement sur le muret. Elle constata que les formes reproduisaient des parties de l'aile sud du bâtiment avec une précision presque magique. Les pentominos pourraient-ils, d'une manière ou d'une autre, aider à sauver la maison ?

Pendant que son regard allait et venait entre la maison et les pièces orange en forme de lettres, elle crut voir quelque chose bouger derrière les fenêtres du rez-de-chaussée. Une délicate lueur scintillante balaya l'assemblage de triangles et de parallélogrammes, dessinant un zigzag bien net qui fusait d'ouest en est. Elle traversa les trois losanges placés au milieu de chaque fenêtre, gravant cette image dans l'esprit de Petra qui regarda, fascinée, le faisceau de lumière s'approcher de plus en plus près, de plus en plus vite... et soudain, un souffle d'air renversa les pentominos de Calder. Le calme revint tout aussi subitement. Petra examina les arbres et le ciel : pas de vent, pas de nuages. Elle se tourna vers la rue : pas de voiture pour réfléchir la lumière.

– Flûte !

Calder avait la voix étouffée : il s'était penché pour ramasser les pièces et les essuya soigneusement sur sa chemise.

– D'où ça venait, ça ?

Petra fixait toujours les fenêtres, désormais vides et inanimées.

– Ces trois losanges au centre de chaque vitrail... commença-t-elle.

– Les rhombes, tu veux dire ? demanda Calder sans lever la tête. En géométrie, les losanges sont des parallélogrammes dont les côtés sont égaux. Ça peut être des carrés. On parle de rhombes pour désigner des losanges sans angles droits.

– Les rhombes, si tu veux, peu importe... dit Petra, et sa voix retomba dans le silence.

Occupé par ses propres pensées, Calder reprit d'un ton excité :

– Avec une collection de plusieurs centaines de pentominos, je parie qu'on pourrait construire toute la maison Robie, à part les motifs des fenêtres. Si on leur montre qu'elle peut être reconstituée à partir de pentominos, on arrivera peut-être à convaincre quelques adultes qu'il faut la sauver. Tu sais, en montrant qu'elle peut servir de thème pour un jeu éducatif...

– Peut-être, répondit Petra dans un murmure.

Calder se tourna vers elle.

– Qu'est-ce qui ne va pas ?

– C'est la maison qui vient de renverser tes pentominos ! Je veux dire, euh... une lumière a balayé les fenêtres dans notre direction, et après, il y a eu ce courant d'air venu de nulle part...

– Bizarre, acquiesça Calder. Tu n'as pas rêvé ?

– Je ne pense pas, lui assura Petra.

Pendant qu'ils observaient la maison, côte à côte, Petra sentit un frisson glacé lui courir le long de la colonne vertébrale.

– Cette maison ne veut pas de nous ici, souffla-t-elle.

Calder se rappela soudain les mots À ÉVITER formés avec sept lettres sur les huit qui composaient ART ET VIE. Mais que devaient-ils éviter ? Cette maison ?

Derrière eux, une voix familière appela :

– Hé !

Calder et Petra sursautèrent tous les deux.

Tommy était planté sur le trottoir, les jambes écartées et les bras ballants. Instinctivement, Petra s'éloigna de Calder et, même si personne ne le remarqua, ils formaient désormais à eux trois un triangle parfaitement équilatéral.

Sans prêter attention au regard hostile de Tommy, Calder lui raconta les possibilités qu'offraient les pentominos F, L et W. Son vieux copain parut un peu moins soupçonneux.

– C'est juste pour ça que vous êtes ici ? voulut-il savoir.

Inquiet, il jeta un coup d'œil furtif vers le jardin.

Petra répliqua froidement :

– Je trouvais l'idée de Calder drôlement excitante, moi. De toute façon, qu'est-ce que ça peut te faire, si on observe la maison Robie ?

Tommy grogna quelque chose d'incompréhensible qui pouvait passer pour « C'est à vous de me le dire » et Petra battit en retraite. Elle agita la main et lança :

– Bon, je file acheter des pommes de terre pour ma mère.

Vivement, elle allongea puis brisa le triangle invisible en disparaissant au coin de la rue.

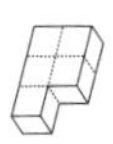

Henry Dare se tourna sur le côté, grogna de douleur et reprit sa position d'origine. Il contempla le plafond de sa chambre d'hôpital. Heureusement qu'il n'était pas plus âgé : cette chute aurait pu le tuer !

Maçon de la quatrième génération, il avait été engagé par l'université pour démanteler la maison que son arrière-grand-père avait contribué à construire. C'était un honneur, d'avoir obtenu ce contrat ; il travaillait sur un chantier important, tout comme son arrière-grand-père, qui avait collaboré avec Frank Lloyd Wright. La situation était symétrique. Un Dare avait aidé à bâtir la maison, un autre aidait à la démolir. Et maintenant voilà.

– C'est pas normal, ce qui s'est passé, marmonna-t-il

pour lui-même. Je *sais* que cette maison a bougé. Les tuiles n'étaient pas humides ni rien ; elle a remué sous mes pieds comme...

Il regarda par la fenêtre en réfléchissant.

– ... comme un poisson. J'avais l'impression d'avoir posé les pieds sur un poisson géant.

« Quand il vous arrive quelque chose d'impossible et que vous savez que vous n'êtes pas fou, pensa-t-il, ça change votre manière de voir les choses. »

Et puis cette voix, cette voix d'enfant qui avait semblé venir de l'intérieur de la maison... Avait-elle dit « Viens pas chez moi ! » ou « Viens jouer chez moi ! » ? Il y avait une grosse différence entre les deux.

La maison essayait-elle de lui dire qu'elle n'appréciait pas ce qui se passait ? Maintenant qu'il y réfléchissait, toute une série d'accidents s'étaient produits depuis qu'ils étaient entrés, lui et le reste de l'équipe, prendre des mesures et tracer des plans. Un charpentier était tombé dans un escalier ; un autre ouvrier avait reçu une lampe sur la tête ; des fenêtres s'étaient ouvertes et fermées toutes seules ; et le collègue qui l'avait découvert sur le balcon s'était cassé un doigt : une porte-fenêtre s'était refermée d'un coup sec sur sa main.

Et puis c'était bizarre, tout ce qui lui était passé par la tête juste avant sa chute, quand il s'était senti jeune, vivant et invisible... À croire que la maison, consciente du sort qui l'attendait, avait capté sa gaieté insouciante et s'était mise en colère. Ou bien était-ce parce qu'il avait touché la cheminée ? Avait-il, disons, *réveillé* la maison en faisant tomber un morceau de brique ?

« C'est du délire, songea-t-il en secouant la tête. Du délire qui, pour je ne sais quelle raison, ne me paraît pas délirant du tout... »

Quand il était petit, il adorait la magie et savait faire apparaître et disparaître de petits objets. Il arrivait à duper les gens. Son arrière-grand-père lui-même lui avait enseigné plusieurs de ces tours. Le jeune homme sourit en se remémorant une carte à jouer baladeuse, une tortue vivante qu'il parvenait à escamoter, une cuillère qui se tordait...

Au fond, il se demandait secrètement ce qu'aurait pensé son arrière-grand-père en le voyant participer à ce chantier. Certes, la maison était en ruine, et certes, les morceaux étaient censés partir dans des musées célèbres où ils seraient conservés pour l'éternité. Mais il devinait sans peine ce que son arrière-grand-père et Frank Lloyd Wright auraient pensé de ce projet : tous deux auraient été scandalisés. Henry Dare était suffisamment informé pour savoir que Wright avait soigneusement conçu les plans, l'équilibre et les proportions afin que chaque partie de la maison rappelle les autres. Tout s'emboîtait – un peu comme le Rubik's Cube, ce casse-tête en trois dimensions. Rien que *parler* de la démolir, c'était un sacrilège.

Il soupira. S'il ne confiait pas ses impressions, quelqu'un d'autre risquait de finir blessé... Mais qui le croirait ?

# CHAPITRE 8
## *Un visage effrayant*

Petra lut pendant plusieurs heures ce soir-là, sans pouvoir s'arrêter. Elle était surprise : *L'Homme invisible* était palpitant, impossible à lâcher. Écrit en 1897, treize ans avant la fin de la construction de la maison Robie, il était paru depuis très longtemps – bien avant l'apparition des ordinateurs et des avions, bien avant que quiconque de sa famille soit venu aux États-Unis. Elle se demanda si Frank Lloyd Wright l'avait lu.

L'histoire commençait au moment où un inconnu débarquait dans une auberge de la campagne anglaise, en plein mois de février, lors d'une tempête de neige.

> IL ÉTAIT EMMITOUFLÉ DES PIEDS À LA TÊTE ET LE BORD DE SON FEUTRE MOU CACHAIT LE MOINDRE CENTIMÈTRE DE SON VISAGE, HORMIS LE BOUT LUISANT DE SON NEZ... IL ENTRA D'UN PAS CHANCELANT DANS L'AUBERGE, PLUS MORT QUE VIF, ET LAISSA TOMBER SA MARMOTTE PAR TERRE.
>
> – UN FEU, CRIA-T-IL. UNE CHAMBRE ET UN FEU !

Une marmotte ? Petra supposa que c'était une sorte de valise. Elle poursuivit sa lecture.

L'arrivée de l'étranger comportait le passage surligné que Petra avait découvert au début : c'était ça, l'« incroyable coup de chance ». Apparemment, l'auberge recevait peu de clients l'hiver. L'étranger commandait un repas et attendait dans l'arrière-salle, mais refusait d'ôter son manteau trempé, son chapeau et même ses lunettes. Il ne donnait pas son nom. La femme de l'aubergiste l'assaillait de questions, mais l'étranger ne répondait pas.

Une fois repartie, après lui avoir apporté son plat, elle se rendait compte qu'elle avait oublié la moutarde :

ELLE FRAPPA ET ENTRA SANS ATTENDRE. AUSSITÔT, SON CLIENT FIT UN MOUVEMENT PRÉCIPITÉ : ELLE N'EUT QUE LE TEMPS D'ENTREVOIR UN OBJET BLANC QUI DISPARAISSAIT DERRIÈRE LA TABLE. ON AURAIT DIT QU'IL RAMASSAIT QUELQUE CHOSE PAR TERRE...

– LAISSEZ LE CHAPEAU ! DIT LE VISITEUR D'UNE VOIX ÉTOUFFÉE.

EN SE RETOURNANT, ELLE VIT QU'IL AVAIT LEVÉ LA TÊTE ET QU'IL AVAIT LES YEUX BRAQUÉS SUR ELLE.

ELLE LE REGARDA FIXEMENT SANS BOUGER PENDANT QUELQUES INSTANTS, TROP SURPRISE POUR PIPER MOT.

IL TENAIT DEVANT LE BAS DE SON VISAGE UN LINGE BLANC QUI DISSIMULAIT TOTALEMENT SA BOUCHE ET SA MÂCHOIRE. SON FRONT, AU-DESSUS DE SES LUNETTES BLEUES, ÉTAIT ENTIÈREMENT COUVERT PAR UN BANDAGE BLANC QUI NE LAISSAIT PAS APERCEVOIR LE MOINDRE BOUT DE SON VISAGE, HORMIS SON NEZ ROSE ET POINTU. D'ÉPAIS CHEVEUX NOIRS, QUI S'ÉCHAPPAIENT AU HASARD ENTRE LES BANDES CROISÉES, SAILLAIENT COMME DES PETITES QUEUES ET DES PETITES CORNES FORT SINGULIÈRES...

Captivée, Petra lisait de plus en plus vite. Elle s'interrompit pour ouvrir la porte de sa chambre, puis s'assit le dos contre le mur.

L'homme se montrait sec et irritable avec tout le monde à l'auberge, où l'on supposait qu'il avait subi un grave accident ou une opération. Cette nuit-là, la tenancière se réveillait « en sursaut alors qu'elle rêvait de grosses têtes blanches comme des navets qui se traînaient à sa poursuite, montées sur des cous interminables, avec de grands yeux noirs ». Malgré le ridicule de cette image, un frisson parcourut l'échine de Petra.

Quand les bagages de l'étranger arrivaient, il sortait, bien emmitouflé, pour s'assurer qu'on déchargeait les caisses de la carriole avec délicatesse. Il se faisait mordre à la jambe par un chien et rentrait précipitamment. Sincèrement inquiet, l'aubergiste le suivait et poussait la porte de sa chambre :

LE STORE ÉTAIT BAISSÉ, ET LA PIÈCE BAIGNÉE DANS LA PÉNOMBRE. IL ENTREVIT UN BREF INSTANT UN SPECTACLE DES PLUS SINGULIERS : ON AURAIT DIT UN BRAS SANS MAIN QUI S'AGITAIT DANS SA DIRECTION, AINSI QU'UN VISAGE À PEINE DESSINÉ PAR TROIS GROSSES TACHES FLOUES SUR DU BLANC, QUI ÉVOQUAIT CES FLEURS QU'ON APPELLE DES PENSÉES. AUSSITÔT, IL REÇUT UN COUP VIOLENT DANS LA POITRINE, FUT BRUTALEMENT REPOUSSÉ EN ARRIÈRE, SE VIT CLAQUER LA PORTE AU NEZ ET ENTENDIT LA CLÉ TOURNER DANS LA SERRURE. TOUT CELA S'ÉTAIT DÉROULÉ SI VITE QU'IL N'AVAIT RIEN EU LE TEMPS

DE DISTINGUER. DES FORMES VAGUES EN MOUVEMENT, UN COUP ET UNE BOUSCULADE. IL RESTA PLANTÉ SUR LE PETIT PALIER OBSCUR, À SE DEMANDER QUELLE POUVAIT BIEN ÊTRE LA NATURE DE CE QU'IL AVAIT VU.

Les jours suivants, l'étranger s'enfermait dans sa chambre, ordonnait qu'on ne le dérange point et installait une sorte de laboratoire. Il sortait à la tombée du jour pour se promener et faisait peur à tout le monde.

Petra imagina ce qu'elle éprouverait si elle tournait à l'angle de Harper Avenue en pleine nuit, devant chez Powell, et tombait nez à nez avec un homme en colère, la tête couverte de bandages qui dissimulaient le moindre millimètre de peau, sauf le bout de son nez. Elle décida qu'elle avait assez lu pour le moment et referma le livre. Comment une histoire écrite il y a si longtemps pouvait-elle être aussi angoissante ?

La maison Robie aussi était un peu angoissante – et ancienne. Petra avait-elle trouvé ces livres pour une raison précise ? Frank Lloyd Wright et l'homme invisible avaient-ils un quelconque rapport ?

Le bruit et l'agitation de sa famille la réconforta, et sa mère lui sourit avec étonnement quand Petra lui proposa d'essuyer la vaisselle.

Quand elle eut fait deux parties de sept familles avec sa sœur cadette et aidé l'un de ses frères à fabriquer une tente avec ses draps, l'inconnu du train lui parut moins important, le rayonnement inquiétant dans les fenêtres de la maison Robie s'était estompé dans sa mémoire et l'homme invisible était devenu… invisible, précisément.

# CHAPITRE 9
## *Pour un pain au chocolat*

Petra, Calder et Tommy ne se virent pas ce week-end-là.

Le lundi 6 juin, Petra s'immobilisa devant la porte de chez elle avant de partir pour le collège. Elle prit une profonde inspiration. Le ciel était d'un bleu sublime, sans nuages, et la température idéale.

Après le froid monochrome d'un hiver à Hyde Park, le printemps faisait l'effet d'une épiphanie. Petra venait d'apprendre ce mot et en adorait le sens et la sonorité légère, pétillante – une épiphanie était un moment dans lequel ce qui était jusqu'alors caché se manifestait, comme une évidence. Par un jour comme celui-ci, chaque détail lui paraissait délibéré et extraordinaire : le parfum onctueux du bois et de la pierre humides, le tintement lumineux des fleurs violettes, rouges et jaunes, la verdure qui s'épanouissait à ses pieds et au-dessus de sa tête, et dont chaque veine et chaque tige irriguaient cette matinée comme une rivière.

Son regard s'arrêta sur un massif de pensées dans le jardin d'à côté. En se rappelant le passage de *L'Homme invisible* qui parlait de ces fleurs, elle s'approcha et les examina attentivement – c'était idiot d'imaginer qu'une plante puisse faire peur. Petra remarqua que nombre d'entre elles avaient des marques qui évoquaient deux yeux et une bouche, des marques entourées par une touche de couleur gaie. Chaque fleur avait cinq pétales, avec des taches sur les trois du bas. Certaines ressemblaient à des ailes de papillon en forme de trèfle, ou peut-être à des peintures abstraites faites avec un pinceau fin comme un cheveu. Petra songea que plus on regardait l'infime, plus l'infime prenait d'importance. Elle rangea cette idée dans un coin de sa tête pour plus tard.

« C'est fou tout ce qui nous échappe quand on est préoccupé par quelque chose », pensa-t-elle. Mais Tommy Segovia ne lui gâcherait pas son printemps : les écrivains ne peuvent pas se permettre d'en rater une seule seconde.

Petra vit Calder sortir de chez lui et regarder dans sa direction. Il leva la main pour lui faire signe – elle avait remarqué qu'il s'en abstenait quand Tommy était dans les parages – et s'avança rapidement vers elle.

– J'ai donné rendez-vous à Tommy devant la nouvelle boulangerie Medici avant les cours, annonça-t-il.

– Très bien, marmonna Petra.

Lui proposait-il de venir aussi ? Malgré la résolution qu'elle avait prise un instant plus tôt, elle eut l'impression que la matinée perdait son ampleur et son éclat.

Tandis qu'ils empruntaient la 57e Rue vers l'ouest, Calder lui parla de tous les mots qu'on pouvait former avec ART ET VIE, y compris VITE RATÉ, À ÉVITER et TA VÉRITÉ ; elle l'écouta avec intérêt, mais d'un air distrait. Même si elle parut s'animer à l'idée de rapporter les notions de *trivialité* et de *vitre* à la maison Robie, elle garda quand même les sourcils froncés. Il remarqua qu'elle avait tiré en

arrière son épaisse chevelure bouclée, pour se faire une queue-de-cheval sérieuse. Même si sa queue-de-cheval à elle ressemblait plus à une houppette ronde.

– Tu sais, le type que j'ai vu dans le train ? dit soudain Petra.

Calder plongea la main dans sa poche.

– Oui ?

– Il n'avait pas de visage.

– Quoi ?

Les pentominos de Calder se mirent à cliqueter quand il commença à les mélanger.

– Je n'en voyais pas, en tout cas, et je suis plutôt douée pour ce genre de coups d'œil rapides quand un train passe. Je ne me souviens pas d'avoir aperçu des cheveux au vent, ni une capuche ou quoi que ce soit – juste cette cape noire et cette main.

– C'est bizarre, quand on pense à la couverture du livre.

– Exactement.

En suivant la 57e Rue, ils passèrent devant des immeubles, puis devant le terrain de jeux... Ils étaient presque arrivés à la boulangerie. Calder se tourna vers son amie.

– Petra ? Ne parle pas du livre à Tommy, d'accord ? Lui et moi, on allait souvent fureter sur la voie ferrée, avant, et... oh, il déteste lire, de toute façon.

– Pas de problème, répondit Petra en se raidissant. J'ai commencé à le lire hier soir.

Elle allait lui parler du passage surligné dans le deuxième

exemplaire de *L'Homme invisible* et lui demander s'il pensait que ces deux livres pouvaient avoir un quelconque rapport avec le sauvetage de la maison Robie, quand Tommy déboucha de la boulangerie. Les deux garçons se saluèrent d'une tape dans la main. Tommy arracha aussitôt un morceau de son pain au chocolat et le proposa à Calder. Son ami en prit une bouchée, puis regarda Petra d'un air de dire : « C'est bon, goûte ! »

– Les filles ne mangent jamais de ce genre de trucs, commenta négligemment Tommy en indiquant sa viennoiserie d'un geste du menton.

Petra le considéra avec stupeur. Était-il sérieux ? Sous-entendait-il que les filles ne pensaient qu'au risque de grossir ? Ou bien qu'elle était grosse ? Elle se tourna vers Calder. Il avait cessé de mâcher, la bouche figée dans une grimace choquée.

– Sauf les filles comme moi, répliqua Petra avec colère.

Elle le regretta aussitôt. Même si on l'avait payée, elle n'aurait pas voulu toucher le pain au chocolat de cet odieux garçon. Elle fit volte-face et se mit en route vers le collège. Aucun des deux autres ne chercha à la retenir.

Des larmes lui picotèrent les paupières. Quel était le problème de Calder ? Pourquoi n'avait-il rien dit ? Elle savait qu'il était toujours son ami. Pourquoi Tommy ne pouvait-il pas essayer de s'adapter ? Qu'est-ce qui lui donnait le droit de remonter le temps, de tenter de l'effacer ?

Elle prit soin de ne pas montrer son trouble en s'éloignant, gênée dans son pantalon qui lui paraissait soudain trop petit et trop court. « Chance, chance, chance, chance », semblaient dire les frottements du tissu. Elle comprit enfin ce qu'ils signifiaient et se sentit un tout petit peu mieux.

– « Un incroyable coup de chance »... marmonna-t-elle pour elle-même en tirant la porte du collège.

Elle se raccrocha à cette idée tandis qu'elle se glissait sur sa chaise, en classe, décidée à ignorer et Calder et Tommy ce jour-là.

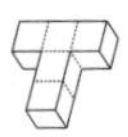

Dès que Petra s'éloigna, Calder lança, furieux :

– C'était *méchant* de dire ça.

Un gros morceau de pain au chocolat fusa de sa bouche et heurta le bras de Tommy. Son ami lui renvoya une miette mâchée d'une pichenette. Elle atterrit sur sa joue, et Calder répliqua par un coup de poing. Les deux garçons ne savaient plus s'ils plaisantaient ou s'ils étaient vraiment fâchés, à présent.

– Mais écoute, c'est à cause de la sculpture de poisson. Je l'ai trouvée dans le jardin de la maison Robie ! Un vrai coup de chance ! J'ai creusé à un seul endroit et je suis tombé dessus. Alors je voulais te demander ton avis : tu penses que je devrais le dire à la classe ? Du moins si on reparle de la maison ?

Calder s'arrêta net et regarda Tommy.

– Pourquoi tu ne me l'as pas dit vendredi, quand tu es passé chez moi ?

– Parce que tu voulais en parler avec *elle*.

– Et alors ? Pourquoi pas ?

Tommy marmonna :

– Elle ne comprendrait pas.

– Comment tu le sais ? Je t'assure qu'elle comprendrait. Si tu ne peux rien faire avec Petra, tu ne peux rien faire avec moi, déclara Calder, se surprenant lui-même.

Tommy partit en courant. Il s'éloigna du collège, reprenant la direction de son immeuble. Calder resta planté là un moment en le suivant des yeux. « Génial », songea-t-il amèrement. Maintenant, Petra et Tommy étaient *tous les deux* furieux contre lui.

Tant pis ! S'ils ne pouvaient pas être amis tous les trois, peut-être qu'ils n'avaient plus rien à faire ensemble, ni les uns ni les autres.

Dans la salle de classe, Calder se laissa tomber bruyamment sur son siège, en accrochant une de ses poches au dossier de sa chaise. Tous ses pentominos dégringolèrent par terre. Petra ne se retourna même pas.

# CHAPITRE 10
## *Entrée interdite*

Ce matin-là, miss Hussey portait une jupe violette avec un liseré jaune. Elle avait de nouvelles tongs aux pieds et du vernis argenté sur les ongles des orteils.

Elle se tenait debout devant la classe, les mains jointes.

– J'étais tellement impatiente que vous arriviez ! s'exclama-t-elle.

Ses élèves pouvaient être certains qu'elle le pensait vraiment.

– J'ai un plan, leur annonça-t-elle. Nous allons visiter la maison Robie, comme Calder l'a suggéré. Nous ne pouvons pas entrer, mais nous nous contenterons de l'observer de l'extérieur, comme si nous étions les bienvenus – dans les cas importants, il faut agir sans attendre la permission. Vous aurez pour mission de déterminer si ce bâtiment est une œuvre d'art. Si oui, pourquoi ? Si non, pourquoi ? Vos idées pourront peut-être nous servir à sauver la maison.

La classe se mit à bourdonner, ravie de partir en excursion inopinée.

– Tout le monde est là ? demanda miss Hussey en balayant les rangs du regard. Où est Tommy Segovia ?

– Je crois qu'il risque d'arriver en retard, dit Calder.

Miss Hussey inscrivit une petite marque dans son carnet d'appel.

– Nous lui laisserons un message. Bien. Pour commencer,

prenez tous une tablette à pince pour écrire, du papier et un crayon bien taillé.

Les élèves s'activèrent aussitôt ; parmi les bruits de froissement, les claquements de tiroirs et les cliquetis de taille-crayon, miss Hussey écrivit un mot pour Tommy au tableau, lui demandant d'attendre leur retour à la bibliothèque du collège.

Soudain, Petra cessa d'en vouloir à Calder. Avait-il abandonné Tommy dans une haie avec le nez en sang ? Elle l'espérait.

– Sortons en silence. Si quelqu'un nous interroge, nous partons observer la nature printanière.

Miss Hussey tourna les talons et entraîna sa classe dehors. Petra adorait le fait qu'elle ne se retournait jamais.

Ils gagnèrent la maison Robie, trois rues plus loin, sans guère parler, excités de faire une chose qui n'était pas vraiment permise. Quand ils s'approchèrent du bâtiment, miss Hussey les arrêta.

– Bien. Vous allez faire des croquis et prendre des notes. Le cordon de sécurité encercle juste la maison et pas toute la propriété, alors vous pouvez explorer les lieux du moment que vous ne franchissez pas cette limite. Rendez-vous ici dans une demi-heure.

Les élèves se disséminèrent autour du bâtiment pour regarder par les fenêtres, traverser le jardin, ou encore se dresser sur la pointe des pieds depuis le trottoir afin de mieux voir le premier et le deuxième étage. Ils furent bientôt assis tout seuls ou en petits groupes, occupés à dessiner et à écrire.

Petra vit Calder inspecter de près l'aile ouest de la maison. Devant une terrasse surélevée, il s'assit le dos contre un arbre, sa tablette sur les genoux. Quand elle passa devant lui, elle s'aperçut qu'il dessinait des pentominos en trois dimensions sur une feuille de papier millimétré. Il ne lui avait toujours pas adressé la parole une seule fois. Mais bon, elle non plus ne lui avait pas dit un mot. Ce n'était peut-être pas plus mal, de s'accorder une petite pause.

Petra fit deux fois le tour de la maison. À part la rapide visite du vendredi après-midi, elle n'avait jamais observé attentivement le bâtiment. Ce matin, les fenêtres semblaient chatoyantes, un peu comme les plumes d'un paon, et la maison elle-même évoquait un labyrinthe, avec ses quatre niveaux de murs et ses trois niveaux de toits. Petra était passée mille fois devant, mais n'avait jamais remarqué à quel point la structure était complexe.

Comment serait-ce de vivre dans un endroit pareil ? C'était un bâtiment aéré et lumineux, certes, mais Petra pensa qu'elle aurait le sentiment d'être un escargot sans sa coquille. Sa maison sur Harper Avenue était blottie entre la voie ferrée et la rue, et, même si elle était bruyante et bondée, elle était confortable. La maison Robie évoquait plutôt une collection de boîtes creuses, ouvertes, empilées négligemment les unes sur les autres, dont certaines dépassaient et d'autres non. Un peu comme un terrain de jeu.

Un endroit idéal pour une partie de cache-cache, de préférence en jouant à se faire peur.

En continuant d'explorer, Petra s'aperçut qu'elle ne distinguait pas vraiment l'intérieur de la maison. La manière dont les terrasses et les murs étaient agencés donnait l'impression que les fenêtres étaient des appâts trompeurs qui disaient : « On est toutes là, mais qu'est-ce que vous pouvez voir ? » Le bâtiment semblait vous inviter à entrer, et en même temps vous repousser. Il faisait l'effet d'une sorte d'attrape-nigaud – ou de piège. Petra n'avait pas l'habitude d'étudier de l'art qui met mal à l'aise.

Elle s'installa devant le garage pour dessiner. Les fenêtres qui lui faisaient face étaient plus petites que les autres, et le verre teinté qui composait le motif était particulièrement joli.

En dessinant, elle eut l'étrange sensation que certains minuscules morceaux de verre iridescent changeaient de couleur quand elle détournait le regard. N'était-ce pas lavande-crème-rubis sur la gauche du motif, et non turquoise-sépia-rubis ? Elle frissonna en se rappelant sa visite avec Calder – l'onde de lumière et le mystérieux coup de vent. Puis quelque chose d'inattendu se produisit : l'une des fenêtres qu'elle étudiait s'ouvrit soudain à la volée.

Le battant se referma puis se rouvrit doucement deux fois de plus, et Petra devina qu'il n'avait pas été verrouillé. Après tout, miss Hussey leur avait dit que l'intérieur était dans un état lamentable et que la maison était inoccupée depuis plus d'un an. Puis, pendant que Petra l'observait, quelque chose de sombre se déplaça dans la pièce. Elle en eut la chair de poule.

« C'est juste une ombre », se dit-elle, avant de se rendre compte que pour produire une ombre, il faut quelque chose de solide. Quand elle bondit sur ses pieds, la fenêtre se referma en claquant bruyamment, comme si quelqu'un l'avait tirée violemment depuis l'intérieur. Petra ramassa sa tablette et contourna hâtivement la maison.

En arrivant au coin, elle faillit entrer en collision avec Calder, qui paraissait tout aussi agité.

– Te voilà !

Il lui empoigna le bras.

– Petra... Je crois que j'ai vu quelqu'un dans la maison ! Un homme avec une cape noire !

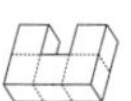

Après un échange de chuchotements hâtifs dans un coin du jardin, Calder et Petra convinrent de ne rien dire à personne, du moins pour le moment.

Puis ils entendirent le sifflet perçant de miss Hussey. C'était le signe de ralliement : ils devaient tout laisser tomber et venir aussitôt ; à cet instant, un homme à l'air déterminé, coiffé d'un casque, sortit de la maison.

Il hurla :

– Hé ! Restez sur le trottoir, les gosses ! Vous savez lire, non ? Ça dit « entrée interdite » !

Miss Hussey resta plantée calmement sur le trottoir. Tandis que la classe se rassemblait, l'homme s'avança vers elle et aboya qu'un maçon était tombé du toit trois jours plus tôt et qu'il était toujours à l'hôpital.

L'expression de miss Hussey se métamorphosa.

– Est-ce qu'il va bien ? Que s'est-il passé ? demanda-t-elle d'une voix soucieuse.

– Il a repris conscience, maintenant, mais il ne dit pas grand-chose. Il était venu jeter un coup d'œil à la cheminée. Il est entré sur le chantier avant que les autres arrivent et il a dû glisser. C'est vraiment la maison des horreurs, ici, on se croirait dans une fête foraine ! Quand on est allés le récupérer sur le balcon, j'ai été blessé aussi.

L'homme brandit une grande main bandée.

– Oh là là ! dit miss Hussey.

– Le message est clair, ma petite dame : la maison est condamnée. Elle est dangereuse et elle est en train de s'écrouler. Éloignez-vous !

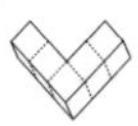

Tommy avait vu la classe arriver, depuis son appartement. Il avait prévu de se faire un faux billet du dentiste et d'aller au collège en retard. Quand il entendit les voix des élèves, il regarda dehors à travers les algues de l'aquarium de Goldman.

Au moins, Calder et Petra ne marchaient pas ensemble.

Mais flûte ! Il avait raté sa chance de dire à la classe ce qu'il avait découvert.

Il repéra Calder qui dessinait sous son balcon. Plusieurs enfants apparurent à l'arrière de la maison, devant la fenêtre de Tommy, mais personne ne resta à cet endroit-là. Il vit Petra passer devant Calder sans lui parler, et remarqua que des mèches s'étaient échappées de sa queue-de-cheval, formant de drôles d'ailes noires de chaque côté de sa tête. Soudain, il se sentit beaucoup mieux.

Le temps passa. En attendant, Tommy épousseta son étagère de poissons de collection. Puis il entendit un sifflet strident et tous les enfants partirent. Il laisserait s'écouler quelques minutes avant de les rejoindre au collège. Il s'agenouilla devant Goldman.

– J'ai trouvé quelque chose pour la collection, hier, lui confia-t-il.

Goldman se rapprocha du nez de Tommy, comme pour demander : « Qu'est-ce que c'est ? »

Le garçon plongea la main dans sa poche et en sortit la sculpture. Il la tendit devant son poisson rouge, puis la souleva pour faire pendre la tête juste au-dessus de l'eau. Couleur beurre blanc, la pierre était aussi émaillée d'éclats noirs. La gueule du poisson-dragon était ouverte dans une grimace ; Tommy glissa son petit doigt dans l'ouverture. Les dents étaient pointues.

– Il est féroce, dit-il. Tu devras faire attention à toi, Goldman.

Les minuscules spirales qui décoraient le corps de l'animal de pierre tournaient dans des directions opposées ; elles devaient avoir été gravées avec une pointe aussi fine qu'une aiguille. Goldman vint à la surface et inspecta la trouvaille de Tommy d'un air nerveux, un côté après l'autre. En l'examinant aussi, Tommy se demanda s'il pouvait conserver un trésor pareil, découvert sur une propriété privée. Il n'en avait pas parlé à sa mère, peut-être précisément pour cette raison. Il l'avait caché sous son oreiller pour la nuit.

Quelque chose lui disait que le poisson-dragon était une découverte extraordinaire – peut-être même la trouvaille de toute une vie. Il lui rappelait des photos du magazine *National Geographic*... mais prises dans quelle région du monde ? Il plissa les yeux et crut se rappeler un pays montagneux où l'on trouvait des sculptures comme celle-ci. Peut-être qu'il y avait eu un cambriolage, à l'époque où la maison Robie était neuve et habitée par des gens riches, et que le poisson avait été volé dans la collection d'art de la famille, puis égaré dans le jardin et oublié là... Ce serait ardu de faire des recherches sur un objet de ce genre, songea Tommy en s'imaginant déchiffrer péniblement des pages et des pages en tout petits caractères.

Il pourrait peut-être trouver un expert qui lui parlerait du poisson. Quelles sont les règles quand on découvre un précieux objet d'art comme celui-ci près d'une maison abandonnée ? Il avait entendu parler des plongeurs qui récupèrent des bijoux et de l'argent dans des bateaux échoués

au fond de l'océan et qui ont la permission de garder ce qu'ils trouvent. La maison Robie n'était-elle pas une épave, elle aussi ?

Ce n'était peut-être pas une si bonne idée de montrer sa trouvaille à la classe.

Sur un coup de tête, il lâcha le poisson en pierre, qui tomba avec un petit « plop ! » dans l'aquarium de Goldman. Tommy fut ravi de constater qu'il était presque invisible contre les graviers du fond. Après un tour rapide autour de l'intrus, Goldman jeta un coup d'œil soupçonneux à son nouveau trésor, puis retourna se poster devant la fenêtre, pour regarder dehors.

# CHAPITRE 11
## *Une idée dans une meule de foin*

Quand Tommy ouvrit la porte de la salle de classe, il fut soulagé d'y trouver des élèves partout. Certains écrivaient, d'autres discutaient en petits groupes, d'autres encore punaisaient des croquis sur un panneau d'affichage au fond de la classe.

Miss Hussey lui fit signe d'entrer et prit distraitement le mot qu'il avait rédigé si soigneusement, d'une écriture d'adulte négligée, en se faisant passer pour son dentiste. Elle le fourra dans le tiroir de son bureau. Tommy inspira profondément.

Il chercha Calder autour de lui, mais ne le vit pas. Puis il s'aperçut que Petra aussi avait disparu.

Il s'installa à sa table. Miss Hussey s'approcha.

– Nous sommes allés voir la maison Robie ce matin, dit-elle.

Tommy hocha la tête en affichant un air innocent.

– Toute la classe essaie de déterminer si la maison est une œuvre d'art. Il y a deux colonnes au tableau : OUI et NON, et j'y ai noté des idées que les élèves m'ont proposées.

Pendant que la prof parlait, Tommy remarqua qu'aujourd'hui elle portait une boucle d'oreille avec un poisson en argent miniature, dont les nageoires scintillaient quand elle bougeait la tête. Il aurait bien aimé l'avoir dans sa collection.

Il acquiesça encore et déclara :

– J'habite juste à côté de la maison, maintenant.

Miss Hussey écarquilla les yeux et frappa dans ses mains, le faisant sursauter.

– Alors tu sais exactement à quoi ressemble l'extérieur ! Tu la vois dans toutes les lumières... C'est fabuleux ! Prends une feuille et dis-moi si tu penses qu'on peut la qualifier d'œuvre d'art.

Tommy regarda le tableau.

Sous le OUI, il lut :

*– L'art doit vous surprendre. Cette maison a l'air pleine de renfoncements, de sorties sur l'extérieur et de galeries pour circuler dans tous les sens.*

*– L'art doit être agréable. Cette maison est lumineuse et serait sans doute géniale à explorer.*

*– L'art doit faire réfléchir. Les vitraux sont couverts de formes géométriques : ça doit être fabuleux de regarder dehors depuis l'intérieur.*

Sous le NON, il lut :

*– L'art ne doit pas faire peur. Cette maison a l'air pleine de recoins sombres.*

*– L'art ne doit pas être dangereux. Dans cette maison, on dirait qu'il y a trop d'endroits où un enfant pourrait tomber.*

OUI
NON

*– L'art devrait être une chose avec laquelle on a envie de vivre. Cette maison paraît déprimante.*

Marrant... Lui, il la trouvait très chaleureuse, cette maison. Bien sûr, elle n'était pas meublée en ce moment, mais il imaginait sans peine que ce serait drôlement amusant d'y vivre. C'était un paradis pour les enfants : cette multitude de fenêtres ménageait des ouvertures pour espionner de tous les côtés, et on pouvait même s'asseoir sur le parapet de la terrasse ou grimper sur l'un des toits quand personne ne regardait. Qui avait fait inscrire au tableau ce commentaire stupide sur le risque de tomber ? Cette maison serait idéale pour les batailles au pistolet à eau, et pour la mère de Tommy, ce serait un rêve d'avoir autant d'espace et de lumière. Tous les matins, elle irait boire son thé au soleil sur l'un des nombreux balcons .

Alors que pouvait-il ajouter dans la colonne des OUI ?

Il aimait toujours les albums illustrés, et les images qui le marquaient le plus comportaient des indices cachés sur la suite de l'histoire : un personnage énigmatique, un peu inquiétant, un coffre ouvert dont on ne peut pas distinguer le contenu, un chemin qui disparaît dans un virage... Tommy se leva, gagna lentement le tableau et écrivit :

*– L'art doit être mistérieu. Cette maison a des secrai.*

Quand il eut regagné sa place, miss Hussey s'approcha.

– Quels secrets a cette maison, Tommy ?

Il regretta aussitôt d'avoir écrit ça. Son écriture était toute tordue et faisait bébé à côté de celle de la prof.

– Des trésors cachés ? insista-t-elle.

Tommy vira au rouge cramoisi et baissa les yeux vers son pupitre. Savait-elle lire dans les pensées ?

– Hum, eh bien... je veux dire que l'art doit garder son intérêt quand on l'observe encore et encore et encore. Et la maison Robie me paraît toujours aussi intéressante chaque fois que je passe devant.

– Bien vu, l'approuva miss Hussey – mais elle semblait déçue.

La porte s'ouvrit à la volée et Calder entra en trombe, suivi quelques secondes plus tard par Petra. Ils avaient les bras chargés de gros livres de bibliothèque.

– Documentation sur Wright à vendre ! annonça gaiement Calder.

En regagnant son pupitre, Petra croisa le regard de Tommy. Elle grimaça comme si elle s'était mordu la joue, et tous deux détournèrent vivement les yeux.

Miss Hussey mit deux doigts dans sa bouche et siffla pour que chacun retourne s'asseoir à sa place.

– Quelle journée ! s'écria-t-elle gaiement.

Elle se tourna vivement face au tableau, faisant virevolter sa jupe violette.

– N'est-ce pas incroyable que nous puissions tous visiter

le même endroit au même moment et en repartir avec des conclusions contradictoires ? À voir vos commentaires, tout le monde ne pense pas que cette maison est une œuvre d'art… même si nous n'en avons vu que l'extérieur, évidemment. Bien, qu'est-ce qu'on fait maintenant ?

Petra leva la main.

– Je trouve la maison un peu glauque, mais je sais que certaines œuvres d'art sont glauques. Dans les musées, il y a des tas de choses qu'on ne voudrait pas voir tous les jours. Pour moi, on devrait convaincre l'université que la démanteler, ce serait la même chose que cisailler une peinture de grande valeur.

– N'importe quoi, marmonna Denise.

– Super idée, dit Calder.

Tommy s'étrangla. Il n'avait jamais entendu Calder approuver l'idée de qui que ce soit, sauf lui. Il cligna rapidement des yeux. En tirant sur le col de son T-shirt, il s'exhorta rageusement à s'endurcir.

– On ne détruirait pas un de ces tableaux de Monet avec des meules de foin qui sont exposés à l'Art Institute pour vendre les meules séparément, ajouta un autre élève. Même si on n'aimait pas le tableau.

Miss Hussey cessa d'arpenter la pièce et leur adressa un sourire rayonnant.

– Vous tenez une piste, les enfants. Comparer cette forme d'art à une autre forme d'art, ça pourrait marcher.

Les élèves s'agitèrent, ravis.

– Peut-être que si nous parlons des meules de foin de Monet aux directeurs des musées qui doivent recevoir les morceaux de la maison, ils n'en voudront plus, dit Calder.

– Ouais, un peu comme quand on reçoit un pied coupé par la poste, lâcha Tommy d'une voix qui lui parut tonitruante.

C'était la première fois qu'il intervenait dans une discussion en classe depuis son retour. Il y eut un silence après son commentaire.

– Oh, c'est dégoûtant ! siffla Denise.

Les épaules de Tommy se raidirent.

– Pas si tu compares la maison au corps d'un être humain et que le pied représente une vitre d'art, argumenta Petra.

Tommy haussa les sourcils et resta figé avec un air étonné.

– C'est drôlement malin, de pousser les responsables à envisager les choses sous cet angle, reprit Calder.

– Mais la maison n'a aucun rapport avec un être vivant, répliqua Denise d'un ton méprisant. Revenez sur Terre !

Miss Hussey eut l'air excédée.

– Une formulation dramatique peut justement permettre aux gens de revenir sur Terre.

– Comment sais-tu que l'art ne peut pas être vivant ? demanda soudain Petra à Denise.

Celle-ci leva les yeux au ciel.

– Un mélange de briques, de béton, de bois et de verre, ça ne fait pas un être vivant, rétorqua-t-elle.

Miss Hussey regardait par la fenêtre, la tête penchée.

– Il y a différentes façons d'être vivant... dit-elle lentement.

– Il y a aussi différentes façons d'être un âne, grommela Denise. Et je ne parle pas de ceux qui ont de longues oreilles.

– Mieux vaut être un âne qu'une vipère, souffla Petra entre ses dents.

Miss Hussey, qui ne semblait pas avoir entendu cet échange, jeta un coup d'œil à l'horloge murale et plaqua les mains sur ses hanches, montrant que les choses devenaient sérieuses. Elle reprit d'un ton sec :

– Voyez ce que vous pourrez découvrir au sujet de la maison Robie ces prochains jours. Notez aussi vos questions, en plus des réponses : ce que vous ne comprenez pas pourrait se révéler aussi précieux que ce que vous savez. Gardez à l'esprit ce que vous avez vu ce matin et toutes vos idées sur l'art, toutes sans exception. Peut-être que nous trouverons un plan fou. Qui sait ?

Calder et Petra bourraient leurs sacs à dos de livres de bibliothèque ; mal à l'aise, Tommy resta planté à l'autre bout de la salle, en balançant son sac presque vide. Il contempla le plancher, et, du coin de l'œil, vit les têtes des deux amis se rapprocher, comme s'ils se parlaient à l'oreille, puis les chaussures de Petra marcher vers lui. Il voulait s'enfuir, s'enfuir à tout prix, mais resta tétanisé sur place.

– Tu peux en prendre quelques-uns, Tommy ? On en a trop, dit Petra d'un ton dégagé.

Soudain, Calder aussi apparut à ses côtés.

– Allez, Tommy. Tu as le poste d'observation idéal. On pourrait travailler chez toi aujourd'hui.

Tommy fourra des livres dans son sac en songeant qu'il n'avait jamais éprouvé un tel soulagement. Perdre Calder aurait été… aussi terrible que perdre Goldman. Et peut-être qu'il avait eu tort au sujet de Petra.

Peut-être. Rien n'était sûr.

# CHAPITRE 12

## *Trois !*

Le trio avança en rangée bien droite du collège jusqu'à l'appartement de Tommy. Calder, au milieu, s'efforça d'animer la conversation.

Quand les trois enfants passèrent devant une haie de lilas qui bordait un pâté de maisons, il agita la main devant son nez et commenta :

– Beurk ! Trop sucré !

Petra ne dit rien.

Tommy toussa, comme pour montrer que son copain avait raison. Quand la camionnette du glacier apparut, Calder lança :

– L'un de vous a de l'argent pour des Miko ?

Les deux autres secouèrent la tête.

– Comment va Goldman ? Il est content de sa nouvelle vue ? questionna encore Calder.

– Très, répondit Tommy.

Le silence retomba entre eux, brisé seulement par le claquement des pentominos et des trois paires de baskets.

Ils furent tous soulagés d'arriver devant la maison Robie.

– C'est celle-ci, dit Petra en pointant du doigt une fenêtre à battant au-dessus du garage.

– Qu'est-ce qu'elle a ? voulut savoir Tommy.

À sa grande surprise, Petra lui raconta qu'elle avait remarqué une lueur étrange dans les vitraux, l'après-midi

de la veille, et que cette fenêtre-ci s'était ouverte et refermée le matin même. Juste après, ils avaient aperçu une silhouette sombre à l'intérieur du bâtiment. Calder confirma qu'il avait remarqué une ombre dans le salon.

– Tu as déjà repéré un truc bizarre par ta fenêtre ? demanda Petra à Tommy, qui sursauta.

L'avait-elle vu regarder dehors ce matin ?

Il plissa les yeux.

– Peut-être. Venez à l'étage... dit-il, comme s'il avait quelque chose d'important à leur confier mais ne pouvait pas le faire ici, sur le trottoir.

À l'intérieur, les trois enfants lâchèrent leurs sacs à dos au milieu de la chambre de Tommy, qui était aussi le salon. L'appartement était un petit nid : deux pièces et une cuisine de poche.

Tommy se précipita vers la fenêtre et emporta Goldman à côté.

– Faut l'éloigner, expliqua-t-il par-dessus son épaule. Il n'aime pas les visiteurs.

Calder parut étonné, mais ne dit rien.

Petra gagna directement la fenêtre et jeta un coup d'œil sur la maison Robie.

– Les fenêtres de l'arrière sont tellement compliquées ! Il y en a de toutes les tailles, et elles sont placées aux endroits les plus bizarres.

Comme Tommy ne répondait pas, elle admira l'étagère qui abritait sa collection de poissons.

– Calder m'a dit que tu étais le spécialiste des découvertes.

Tommy haussa les épaules.

– J'aime bien farfouiller.

Une pensée terrible lui vint à l'esprit : Calder lui avait-il coupé l'herbe sous le pied ? Avait-il déjà parlé de sa dernière trouvaille à Petra, *des heures plus tôt* ?

– Frank Lloyd Wright aussi était un collectionneur, reprit Petra. J'ai lu un article là-dessus aujourd'hui. Il a acheté et revendu des centaines d'estampes japonaises et il a fait plusieurs voyages au Japon. Il y est allé pour la première fois en 1905, juste avant de dessiner la maison Robie. Il était dingue de l'architecture et de l'art japonais, même s'il a toujours nié que ça ait pu l'influencer.

– Vraiment ?

Tommy s'efforça de masquer l'excitation qui perçait dans sa voix. Un collectionneur, tout comme lui... et le poisson en pierre ressemblait justement à des objets qu'il avait vus dans des boutiques de Chinatown. Peut-être que l'art japonais ressemblait à l'art chinois... Frank Lloyd Wright et lui avaient manifestement quelque chose en commun !

– Quelqu'un veut du pop-corn ? proposa-t-il vivement. Je meurs de faim.

Il partit précipitamment dans la cuisine, puis, trop tard, se rendit compte qu'il avait laissé Calder et Petra tout seuls : ils allaient peut-être se faire des messes basses derrière son dos… Mais s'il les invitait à le rejoindre, ils regarderaient l'aquarium de Goldman.

Quand il revint avec le pop-corn, les deux autres étaient assis en tailleur sur le plancher avec des livres étalés autour d'eux.

– Alors, Tommy… qu'est-ce que tu as vu ? demanda Calder en prenant une poignée de pop-corn. Tu sais, par ta fenêtre.

Tommy réfléchit à toute vitesse. Il avait l'impression de passer son temps à mentir, ces jours-ci. Soudain, il s'entendit répondre :

– Je crois que c'était une main. Dans l'une des fenêtres de l'étage.

– Une *main* ? s'étonna Petra, les yeux écarquillés.

– Une main d'enfant, ajouta Tommy. Elle faisait des signes, comme ça, précisa-t-il en remuant lentement la main de gauche à droite, comme un éventail.

Sentant le regard de Calder peser sur lui, il ouvrit l'un des livres, qui semblait comporter beaucoup de photos, et commença à tourner les pages.

– Ouaouh ! conclut Petra.

Elle observa alternativement les deux garçons, puis fronça légèrement les sourcils.

– Alors c'est quoi, le plan ? demanda Tommy d'une voix qui, espérait-il, sous-entendait : « Ça suffit, toutes ces bêtises. »

– Faire des recherches, répondit Calder d'un ton abrupt.

La pièce fut silencieuse pendant la demi-heure suivante,

hormis les bruits de mastication. Petra gratta une croûte qu'elle avait sur un coude et prit des notes. Calder déchira des bandelettes de papier et marqua des pages dans les livres qu'il feuilletait. Tommy ramassa un volume d'une minceur séduisante, intitulé *La Maison Robie de Frank Lloyd Wright*, et étudia les plans du bâtiment. Le contour évoquait deux longs rectangles étroits qui seraient entrés en collision et restés emboîtés, comme deux péniches.

Soudain, Petra lança :

– Hé ! Autrefois, les gens trouvaient que le bâtiment ressemblait à un paquebot, avec sa terrasse pointue à l'avant. Comme une proue.

Tommy la considéra avec étonnement. Était-ce juste un accident, qu'ils aient tous les deux pensé à des bateaux ? Si elle savait lire dans les pensées, il pouvait craindre des ennuis.

– Ouah, c'est *affreux* ! s'écria encore Petra d'une voix étranglée.

Dans la cuisine, Goldman, surpris, vira brutalement dans son aquarium en projetant des éclaboussures.

– D'après l'introduction, chaque famille qui a vécu dans cette maison a connu une immense tragédie... Pour commencer, un certain Frederick Robie a demandé à Wright de construire la maison. Il voulait une résidence lumineuse, moderne, où ses deux jeunes enfants seraient heureux, alors il a commandé beaucoup d'espaces de jeux. On dirait que Wright a conçu le rez-de-chaussée pour les enfants, avec un jardin fermé par un mur pour qu'on n'ait pas besoin de les surveiller tout le temps. Ils pouvaient entrer et sortir tout seuls.

Elle s'interrompit pour manger du pop-corn.

– Je sais… intervint Calder. D'après ce que j'ai lu, Mr. Robie a acheté une voiture à pédales à son fils pour qu'il puisse se balader avec dans la salle de jeux, et même dans le garage trois places, où l'on rangeait les vraies voitures. Mortel !

– Tu serais prêt à tuer pour avoir ça, hein ?

Du dos de la main, Tommy lui donna une tape sur le genou.

– Carrément ! admit Calder.

– J'ai des photos de ce garçon, là, ajouta Tommy, ragaillardi. C'était l'aîné des enfants.

Le trio étudia la photo du jeune fils, qui avait peut-être trois ans, marchant d'un air résolu sur une planche pendant la construction de la maison.

– Ça fait rêver… murmura Petra en examinant les autres photos de la page.

– Regardez ! Il est du côté sud, et la terre est toute retournée, dit Calder en jetant un coup d'œil à Tommy. Il doit y avoir des tas de pièces jaunes, de clous et je ne sais quoi là-dessous…

Tommy grimaça et reprit le livre.

Le silence revint dans la pièce. Petra lut dans sa tête, puis reprit à haute voix :

– Donc les Robie emménagent dans leur maison de rêve,

qui leur a coûté un paquet et qu'il a fallu des années pour construire... Ouaouh ! Mr. Robie la décrit comme « la maison idéale, la plus merveilleuse au monde ». Et il ajoute : « Elle semblait *vivante*, à cause du mouvement du soleil. »

Petra s'interrompit pour prendre des notes.

– Ensuite, le vieux père de Fred Robie est mort subitement. Un jour, longtemps avant de faire construire la maison, Fred avait promis de rembourser les dettes de son père ; il s'est donc senti obligé de le faire. Mais il a découvert qu'elles étaient énormes et il a fait faillite du jour au lendemain.

– La vache, quel mauvais plan ! commenta Tommy. Nul, ce père.

Il y eut un autre silence gêné.

Petra hocha la tête et poursuivit :

– Mr. et Mrs. Robie se sont séparés et la maison a été vendue dans l'année. Voilà la première tragédie.

Elle tourna la page et continua sa lecture en silence.

Calder avait sorti ses pentominos de sa poche ; allongé, en appui sur ses coudes, il observait en plissant les yeux une grande forme composée de cinq pièces.

Petra reprit :

– La famille suivante, c'étaient les Taylor. Ils avaient cinq garçons. Ça dit que les enfants avaient la permission de courir d'un bout à l'autre de la salle à manger-salon, soit trente mètres environ, et que quinze tours de piste faisaient près d'un kilomètre. Les garçons se rappellent qu'ils adoraient cette maison...

– Sans blague ! l'interrompit Tommy d'une voix railleuse.

– Je lis juste ce qui est écrit, répliqua sèchement Petra – et elle poursuivit : Un *autre* garçon est né après leur emménagement – oh là là, quel cauchemar ! –, et ensuite, Mr. Taylor est mort subitement. Un an après avoir acheté la maison ! Sympa, non ?

– La malédiction de la maison Robie... chuchota Tommy, moqueur.

– Exactement, le coupa durement Petra.

Amusé, Tommy ferma son livre.

En continuant sa lecture, Petra essaya de remettre dans sa queue-de-cheval les mèches qui s'étaient échappées, puis, irritée, elle arracha brutalement l'élastique. Avec l'index et l'auriculaire, elle l'accrocha sur sa main en position de tir. Tommy remarqua qu'elle avait fait ça sans regarder.

Des boucles noires retombèrent autour de son visage quand elle dit :

– Bref, en novembre 1912, deux ans après l'achèvement des travaux, la maison accueillait sa troisième famille. Les Wilbur, avec leurs deux filles. Mrs. Wilbur a noté dans son journal qu'il y avait six autres familles sur les rangs quand ils ont acheté la maison. Blablabla...

Petra fit courir son doigt sur la page.

– Oh ! La fille aînée est morte en 1916. Quelle horreur ! C'est donc le deuxième décès en six ans dans cette maison... Ouaouh, les désastres familiaux se succèdent : un divorce, puis un père qui meurt, puis un enfant qui meurt !

Elle ajouta :

– Wright a visité la maison au moins trois fois pendant que les Wilbur y habitaient. Des années plus tard, dans une interview, la fille cadette a dit : « Je me souviens bien de lui, avec sa cape qui voletait... »

Petra jeta un regard entendu à Calder.

– Une cape !

Calder se redressa.

Tommy les observa l'un après l'autre.

– Une cape ? Et alors ? Qu'est-ce que ça a de si important ? demanda-t-il. Ça ne veut pas dire qu'il était Superman !

Personne ne lui répondit. Petra continua :

– Toujours d'après la fille Wilbur, Wright a dit que c'était le meilleur exemple de son travail. Ouaouh ! Il a dit ça dans les années 1920, alors qu'il avait déjà construit beaucoup d'autres choses. Et là, on a un extrait du journal de Mrs. Wilbur : « Frank Lloyd Wright a téléphoné à 16 h 30... et demande s'il peut visiter la maison... Il veut la racheter pour y habiter et ajouter une véranda au rez-de-chaussée, côté sud. » Bizarre qu'il ait voulu racheter une maison qu'il avait conçue pour quelqu'un d'autre, vous ne trouvez pas ?

Calder adressa un regard appuyé à Tommy.

– Le côté sud, c'est celui qui donne sur le jardin... dit-il en ramassant ses pentominos.

– Je sais, le coupa Tommy. Je ne vois rien d'étonnant à ce qu'il ait voulu y vivre. Qui ne le souhaiterait pas ?

Petra referma délicatement le livre.

– Donc, pour résumer, chaque famille a cru être arrivée au paradis en emménageant. Ça fait beaucoup de bonheur mêlé à beaucoup de chagrin. Trois familles, trois séries de rêves brisés.

Elle se tourna vers la maison Robie.

– Encore le trois...

– Où as-tu appris à faire ça ? lui demanda Tommy.

Elle parut d'abord décontenancée, puis se rendit compte qu'il parlait de l'élastique tendu sur sa main. Elle haussa les épaules et lui tira dans l'orteil.

– Aïe ! cria Tommy. Excellent ! Faut que j'apprenne ce coup-là.

Quand les deux autres eurent remis les livres dans leurs sacs à dos, Petra le questionna d'un ton égal :

– Tu as déjà regardé dehors la nuit ? Avec les lumières éteintes ?

– Plus ou moins, fit Tommy en s'apercevant qu'il ne l'avait jamais fait.

– Ouais, tu pourrais vraiment surveiller la maison, renchérit Calder en se levant et en collant le nez contre la vitre.

La lumière du crépuscule dansait à travers les feuilles, mouchetant les briques de la façade arrière.

– Pas de problème, dit Tommy. Je surveillerai les fantômes et tout.

– Les fantômes ? répéta Petra. Ça n'a pas l'air de te préoccuper plus que ça.

Tommy haussa les épaules, comme si l'idée ne le dérangeait pas.

– Il y en a forcément, avec toutes ces tragédies du passé.

Il entendit un clapotis dans la cuisine. Goldman lui disait de se taire.

Puis, tandis que les enfants regardaient par la fenêtre, un gémissement douloureux traversa l'appartement, dans la lumière éclatante de la fin d'après-midi. Il semblait émaner de la maison elle-même – des briques, du verre et du bois.

Les trois enfants restèrent tétanisés.

Petra fut la première à parler :

– Vous avez entendu ?

Calder et Tommy hochèrent la tête. C'était dur de savoir quoi dire. À trois, ils n'étaient pas assez à l'aise pour se confier.

Petra se surprit à penser : *Je suis désolée que tu sois triste, maison. Tu as tant perdu.*

Les garçons se détournèrent, mais elle resta devant la fenêtre de Tommy quelques secondes de plus. Alors l'un des vitraux du deuxième étage scintilla, comme pour lui répondre : une forme en trois parties, tel un bonbon dans son emballage – deux triangles de part et d'autre d'un rhombe –, devint d'une clarté éblouissante l'espace d'un instant. Petra inspira vivement.

*Trois !* semblait répondre la maison par ce signal. *Trois !*

La seconde d'après, la vitre était redevenue sombre et inanimée. « C'est à moi que ça s'adressait... songea Petra. Mais c'était quoi ? »

# CHAPITRE 12
## *Un lien*

Quand ils repartirent en direction de Harper Avenue, Petra confia à Calder :

– Je crois que la maison a capté mes pensées.

Calder la considéra d'un air intrigué.

– Qu'est-ce que tu veux dire ?

– Tu sais, le bruit bizarre qu'on a entendu. Eh bien, j'ai envoyé un message muet à la maison. Je me sentais mal pour elle après tout ce que je venais de lire, et une fenêtre m'a *répondu*, si j'ose dire. Ça peut paraître dingue, mais elle m'a envoyé en réponse le signal « trois ».

Calder remua ses pentominos pendant que Petra lui décrivait la lumière qu'elle avait vu scintiller dans trois rhombes, fenêtre après fenêtre du rez-de-chaussée, la veille, puis la forme de bonbon qui venait de s'illuminer au deuxième étage.

– Je n'avais pas spécialement remarqué les trois qui se répétaient, hier, avant de voir le trois d'aujourd'hui, conclut-elle.

– Et moi, j'ai construit des structures qui ressemblent à des parties de la maison Robie avec ces trois pentominos, le F, le L et le W... comme si ces trois-là m'avaient sauté dans la main, ajouta Calder.

– Et tout a commencé le 3 juin, le jour où miss Hussey nous a lu l'article, renchérit Petra.

Ils marchèrent en silence pendant une minute ou deux, faisant chacun le tri dans leurs idées. Ni l'un ni l'autre ne mentionnèrent le trio qu'ils formaient avec Tommy.

– Tu n'as pas cru à l'histoire de main que Tommy nous a racontée, n'est-ce pas ? demanda Petra.

– Il n'aime pas se sentir exclu. Et je sais qu'il a le sentiment d'avoir raté beaucoup de choses cette année.

– Oui, concéda Petra de bonne grâce. Donc il a menti ?

– Il a peut-être exagéré, corrigea Calder.

Ils firent quelques pas sans parler.

– Il n'arrêtait pas de m'interrompre, reprit Petra. Comme s'il ne s'intéressait pas vraiment à nos recherches. Il est toujours comme ça ?

– Ça lui arrive… Petra ?

– Oui ?

– Les pentominos font des choses curieuses.

Il cessa de marcher.

– J'en ai sorti six chez Tommy et j'ai encore eu le F, le L et le W, par pur hasard, ainsi que le I, le N et le V. Quand je les assemblais en t'écoutant lire, je me suis rendu compte que j'avais reconstitué une partie de la façade et de la terrasse de la maison Robie, avec sa fenêtre étroite et tout, et que j'avais ajouté le INV d'*invisible* aux initiales de Frank Lloyd Wright. C'est fou, non ?

Petra le regarda avec stupeur, la bouche entrouverte.

– Magique, souffla-t-elle. Quel lien penses-tu qu'il y a entre *L'Homme invisible* et Wright ?

– Je ne sais pas. C'est peut-être juste nous qui pensons aux deux au même moment.

– Ou peut-être que la *maison* pense à nous, et que l'homme invisible est un indice... Il y a peut-être vraiment un fantôme, un esprit invisible attaché à la maison qui m'a fait trouver les livres, remarquer les fenêtres qui scintillaient et observer les pensées, avec leurs cinq pétales et leurs trois taches qui dessinent un visage. Ce n'est peut-être pas par hasard si tu pioches...

– Tu as dit cinq et trois ? souligna Calder. La maison est censée être démolie le 21 juin... Il me semble qu'il y a une célèbre suite mathématique qui comprend ces nombres.

Petra lui agrippa le bras.

– Je me demande si la maison a également essayé de communiquer avec Tommy, sans qu'il s'en rende compte.

Le cœur de Calder se pinça. Le poisson de pierre ! La dernière trouvaille de Tommy était-elle un message ? Il avait dit à Calder qu'il avait voulu creuser à cet endroit précis du jardin, sans savoir pourquoi. Il avait appelé ça de la chance. Calder mourait d'envie de parler du poisson secret à Petra, mais il ne pouvait pas le faire, pas sans la permission de son vieux copain.

Qu'avait-il fait du poisson, d'ailleurs ?

## CHAPITRE 14
### *Un modèle omniprésent*

En rentrant chez lui, Calder téléphona à Tommy.

– Où est le poisson ? demanda-t-il aussitôt. Maintenant qu'on mène l'enquête tous les trois, avec Petra, il faut que tu lui en parles.

– Pourquoi ? voulut savoir Tommy.

– Pourquoi *pas* ? grogna Calder. Tu as peur qu'elle trouve de la documentation dessus et découvre que c'est un trésor que tu ne peux pas garder ?

– Merci, Calder. Tu penses que c'est la seule à avoir un cerveau ?

– Bien sûr que non. C'est juste qu'on essaie de sauver cette maison, et chaque pièce du puzzle pourrait avoir son importance. Qui sait : peut-être que le poisson est un indice !

– Qu'est-ce qu'un petit poisson en pierre égaré dans le jardin pourrait avoir à faire avec le sauvetage d'une maison qui s'écroule ? grogna Tommy d'un ton méprisant. Et pourquoi on ne peut plus avoir de secrets, toi et moi ?

– On peut, répondit Calder. Mais pas des secrets absurdes. Je veux dire, si on s'y met à trois et qu'on s'entraide, on trouvera peut-être quelque chose. Et ce n'est pas rien, d'avoir découvert une sculpture ancienne dans le jardin.

– Je ne vois pas quel rapport ça peut avoir avec la maison, s'obstina Tommy.

– Très bien, dit Calder, qui commençait à s'énerver.

Si tu ne veux pas partager tes secrets, pas la peine d'espérer qu'on te raconte les nôtres.

Il pensait aux livres sur l'homme invisible, dont il avait prévu de parler à Tommy.

– Les *vôtres* ? Donc Petra et toi, vous me cachez des choses ?

– Tommy ! Tu te comportes vraiment comme un nul ! Je dis juste que trois cerveaux valent mieux qu'un. Ou deux.

– C'est toi qui le dis !

Tommy raccrocha brutalement.

Calder resta immobile un moment, les yeux dans le vague. Pourquoi Tommy se montrait-il aussi égoïste et buté ? Il sortit ses pentominos de sa poche et les posa violemment sur le plan de travail de la cuisine.

Yvette Pillay entra dans la pièce au même instant. Elle s'immobilisa et demanda :

– Mauvaise journée ?

– Pas spécialement, dit Calder d'un ton morne.

Il appuya son menton sur un poing et commença une construction. Des images de la maison Robie lui vinrent immédiatement à l'esprit. En déplaçant les pièces, il reconnut une partie de la terrasse de devant, puis le balcon qui surplombait l'entrée. Il sourit. Les pentominos étaient incroyables : on les retrouvait partout dans le monde réel !

– Maman, il n'y a pas une suite avec 3, 5 et 21 dedans ?

Sa mère ferma les yeux un instant, puis répondit :

– 0, 1, 1, 2, 3, 5, 8, 13, 21, 34, 55, 89, 144, etc. On l'appelle la suite de Fibonacci. Pourquoi ?

Calder se redressa.

– Pour rien.

Sa mère ajouta que Leonardo Fibonacci était un célèbre mathématicien italien qui était né au XIIe siècle et qui avait fait d'extraordinaires travaux en mathématiques.

– Il a contribué à introduire notre système numérique moderne en Europe occidentale. Il a également découvert une suite arithmétique dans laquelle, en commençant par 0 et 1, chaque nombre est la somme des deux précédents. Ainsi, 0 + 1 = 1, 1 + 1 = 2, 2 + 1 = 3, 3 + 2 = 5, 5 + 3 = 8, etc. Et ce que la suite de Fibonacci a de magique, c'est que le rapport entre deux nombres successifs, à mesure qu'ils augmentent, se rapproche de 1,618.

Calder hocha la tête.

Sa mère poursuivit :

– Et ce n'est pas tout : ce rapport s'appelle le nombre d'or ; il y a aussi le rectangle d'or et la spirale d'or. Le rectangle d'or est un rectangle dont le rapport entre la largeur et la longueur et de 1 sur 1,618. La plupart des gens trouvent particulièrement plaisants les rectangles dotés de ces proportions-là. Ils apparaissent dans l'art et l'architecture depuis des siècles, parfois exprès, parfois juste parce qu'ils semblent surgir tout seuls. Tu me suis toujours ?

– Je crois.

– Ça devient de plus en plus bizarre. La suite de

Fibonacci se retrouve dans la nature, en particulier dans les formes en spirale : les feuilles et les pétales qui poussent en vrille, certains coquillages, les ananas, l'enveloppe des graines, même les choux et les laitues. Attends...

Elle fouilla dans le réfrigérateur, puis claqua la langue, agacée, et se dirigea dehors. Calder la suivit.

Dans le jardin, elle se pencha au-dessus d'un massif d'iris.

– Ceux-là ont trois pétales, et je sais que les boutons-d'or et les pensées en ont cinq, et, voyons... la plupart des soucis en ont treize, et je crois que les marguerites en ont vingt et un. De nombreux arbres ont leurs branches qui poussent suivant la suite de Fibonacci : 2, 3, 5, 8, etc. Une fois que tu commences à chercher la série, il devient difficile de ne *pas* la voir.

– Incroyable !

Calder songea aux spirales du poisson en pierre de Tommy. Et aux pensées dont Petra avait parlé. Et la maison Robie, alors ? Wright devait connaître la suite de Fibonacci.

Quand sa mère retourna dans la maison, Calder s'attarda dans le jardin et se pencha pour examiner les massifs de fleurs l'un après l'autre. En effet, la série 3, 5, 8 apparaissait partout : dans les feuilles qui poussaient sur des tiges délicates, et même dans la structure de leur nervures. Ce Fibonacci avait repéré un modèle omniprésent !

– Perdu quelque chose ?

Calder se redressa en entendant la voix de son père.

– Salut, papa. Tu rentres tout juste du boulot ?

Son père hocha la tête et tapa des pieds pour décoller la terre de ses semelles. Calder le suivit dans la maison.

Walter Pillay s'assit à la table de la cuisine et se frotta les yeux.

– Qu'est-ce qui ne va pas, chéri ? Tu as l'air fatigué, remarqua Yvette Pillay.

– Je viens de passer à la maison Robie.

– Qu'est-ce que tu faisais là-bas, papa ? On est allés la voir avec la classe ce matin. Miss Hussey a dit que ce serait un meurtre de la démolir.

– Ah oui ? fit la mère de Calder.

Fort à propos, elle venait juste de planter un grand couteau dans le rabat d'un carton de pizza surgelée.

– Elle dit qu'on tuerait la maison si on la divisait. On essaie de dénicher des secrets sur le bâtiment pour le sauver, expliqua Calder.

Son père délaça ses chaussures.

– Le contremaître m'a parlé d'un maçon, un certain Mr. Dare, qui est tombé du toit l'autre jour. Ce malheureux prétend que le toit l'a fait tomber en se trémoussant, en quelque sorte.

Calder était tout ouïe.

– Continue, papa.

Walter Pillay, avec une expression hébétée, se tourna vers son fils.

– Je l'écoutais d'une oreille distraite en examinant

l'endroit où il voulait déplacer une rangée de buissons et, tout à coup, j'ai cru voir le bâtiment s'étirer puis se contracter. Je veux dire...

Il s'interrompit et regarda sa femme, qui fronçait les sourcils.

– Les vitraux ondulaient comme s'ils étaient flexibles, comme la peau d'un animal – d'un reptile, par exemple. J'ai vu une... une *vague* de couleur quand tous ces petits segments de verre ont bougé les uns après les autres.

Calder considéra son père avec les yeux écarquillés.

Sa mère lui jeta un bref coup d'œil, puis alla chercher trois verres et les posa fermement sur la table de la cuisine. Elle versa trois limonades.

– Ce que tu as vu, c'était une curieuse illusion d'optique, déclara-t-elle avec fermeté, de sa voix de mathématicienne. C'est vrai que c'est une structure extrêmement complexe. Et instable, maintenant.

– Comme si le bâtiment inspirait puis expirait, ajouta Calder tout bas.

Walter Pillay acquiesça.

– Exactement. J'ai eu l'impression que la maison prenait une profonde inspiration et *soupirait*. L'homme avec lequel j'avais rendez-vous tournait le dos au bâtiment quand ça s'est produit, alors il n'a rien vu. Il n'y a pas d'autre témoin que moi.

– « Témoin » est un bien grand mot.

Yvette Pillay avait la tête penchée et ses cheveux

abricot reflétaient le soleil de la fin d'après-midi, qui teintait la cuisine de douces couleurs printanières. Elle jeta un regard appuyé à Calder, inquiète de le voir accorder trop d'intérêt à cette histoire.

– Tu ne vas pas les aider, hein, papa ?

Walter Pillay secoua la tête.

– Non, je me suis surpris à dire que je ne ferais pas le boulot.

– Tant mieux.

Soudain, Calder eut une idée. Il prit l'annuaire sur le haut du réfrigérateur et monta précipitamment à l'étage pour chercher le numéro de l'hôpital de l'université de Chicago.

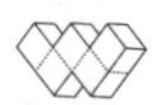

– Mr. Dare ? répéta une voix de femme. De la part de qui, s'il vous plaît ?

– D'un enfant qui sait quelque chose, répondit Calder, gêné.

– Une petite minute, dit la voix dans le combiné.

Calder perçut un sourire condescendant dans le ton qu'elle employait. Pourquoi certains adultes sous-estimaient-ils toujours les enfants ?

– Henry Dare à l'appareil.

La voix était grave et, soudain, Calder se sentit jeune et intimidé.

– Euh… Mister Dare, je m'appelle Calder Pillay. Avec ma classe, on essaie de sauver la maison Robie, et j'ai quelque chose à vous dire.

Il y eut un silence à l'autre bout du fil, puis :

– Qu'est-ce que tu sais sur moi ?

Calder regretta que Petra ne soit pas là : elle savait toujours quoi dire, elle.

– Eh bé… que vous êtes tombé !

La rime accidentelle le fit rougir. Il s'exprimait d'une façon ridicule.

– Ouaip ! Un peu comme dans la chanson : je suis tombé par terre, mais c'est pas la faute à Voltaire.

Le maçon ricana.

– Ni la faute à Rousseau.

Il gloussa encore.

Pourquoi parlait-il de cette rengaine d'école primaire ? Prenait-il Calder pour un bébé ?

Le garçon se racla la gorge et s'efforça de parler d'une voix aussi grave que possible, essayant d'imiter son père quand il voulait mettre fin à une conversation.

– Ce serait possible que je passe vous voir après les cours demain ? J'ai une histoire à vous raconter qui devrait vous intéresser.

Mr. Dare accepta une brève visite.

Quand Calder eut raccroché, il donna un coup de poing en l'air, puis se gratifia d'une claque dans le dos. Il avait réussi, et tout seul ! Soudain, les possibilités lui parurent immenses, et la pénombre du début de soirée, que Calder évitait en allumant les lampes d'habitude, avait l'air magique.

Devrait-il demander à Tommy et Petra de l'accompagner à l'hôpital ?

Non, il ferait ça tout seul.

## CHAPITRE 15
### *Le secret de Goldman*

Après avoir raccroché au nez de Calder, Tommy se tourna vers Goldman avec un air désespéré. Le poisson avait réintégré sa place devant sa fenêtre. Le garçon donna un coup de pied dans le mur et Goldman tourna trois fois dans son aquarium, les yeux écarquillés.

– Désolé de t'avoir fait peur, dit Tommy. J'étais en colère.

Il remarqua que Goldman avait pris l'initiative d'enterrer la sculpture en pierre ; seul le bout de la queue était encore visible. Son poisson était incroyable : il savait toujours qu'il y avait de mieux à faire.

La mère de Tommy, qui venait juste de remonter de la laverie au sous-sol, pliait des vêtements dans la pièce d'à côté.

– Qu'est-ce qu'il y a, mon grand ?

– Rien. Je parlais juste à Goldman.

Tommy soupira et son regard tomba sur l'élastique de Petra, qui était toujours par terre. Il se baissa pour le ramasser. Bon, comment avait-elle réussi son coup ? Il s'entraîna à le tendre entre ses doigts pour pouvoir viser et tirer, mais c'était plus difficile que ça n'en avait l'air.

Zelda Segovia entra dans la pièce et s'assit à côté de lui.

– Tu as l'air malheureux.

Sa mère lui parlait toujours franchement, pour autant qu'il sache, et ça lui plaisait bien en général. Mais cette fois,

Tommy ne savait pas quoi répondre. Il tourna la tête vers la fenêtre.

Sa mère suivit son regard.

– Elle te plaît, notre nouvelle vue ? C'est triste que la maison Robie doive être démolie, mais au moins nous avons un poste d'observation idéal.

– Miss Hussey a dit que c'était un meurtre, répliqua Tommy. Elle veut qu'on trouve un moyen de sauver la maison.

– Sauver la maison ! répéta Zelda Segovia en riant. Eh bien, ce n'est pas rien, comme programme !

– Tu connais des secrets sur ce bâtiment ? demanda Tommy en évitant soigneusement de laisser ses yeux dériver vers le gravier de l'aquarium.

– Euh... pas vraiment, mais quand je me suis rendu compte que notre nouvel appartement donnait sur l'arrière de la maison Robie, tu sais à quoi j'ai pensé ? C'est marrant que tu aies parlé de meurtre, d'ailleurs.

Tommy se tourna vers sa mère. Il aimait mieux se fixer sur son œil bleu que sur son œil marron.

– À quoi tu as pensé ?

– À un film qui s'appelle *Fenêtre sur cour*. C'était déjà un vieux film quand j'étais petite, mais je l'ai adoré.

– De quoi ça parle ?

– D'un homme qui passe beaucoup de temps à la fenêtre de son appartement – un logement sur cour, un peu comme chez nous. Il observe les autres fenêtres qui donnent sur la cour et surprend des choses louches. Mais je ne t'en

raconterai pas plus ! conclut-elle avec un regard pétillant. Tu n'as qu'à inviter Calder et quelques autres amis à la maison, et je louerai la cassette...

– Oh, c'est pas la peine, trancha Tommy. J'aimerais bien le voir, mais juste avec toi.

– Super, dit sa mère en se levant, pour lui cacher son air un peu triste.

Son fils avait connu tant de moments solitaires cette année... Elle avait espéré qu'il aurait la vie plus facile en retrouvant l'univers familier de Hyde Park, mais il semblait que non.

– Demain soir, ça t'irait ? Je te retrouverai à la bibliothèque après les cours, proposa Tommy.

– D'accord, accepta aussitôt sa mère en lui ébouriffant sa coupe en brosse. Le rendez-vous est pris.

Après le dîner, Petra emporta son sac à dos dans sa chambre, à l'étage. Elle sortit la pile de livres sur la maison Robie, puis, incapable de résister, reprit l'exemplaire de *L'Homme invisible* qu'elle avait commencé à lire la veille.

Elle décida de tourner les pages et de poser son doigt au hasard, pour voir sur quelle phrase elle tomberait. Peut-être que le livre lui parlerait, comme les pentominos parlaient à Calder ? Personne ne la verrait faire ce jeu idiot et, de toute façon, il devait bien y avoir une raison pour qu'elle soit tombée sur ce vieux bouquin – par deux fois, en plus !

Elle ferma les yeux et feuilleta le livre dans les deux sens, comme si elle mélangeait un jeu de cartes, puis choisit une page et un endroit précis de cette page. Elle ouvrit les yeux. Sous son doigt se trouvait la phrase :

J'AVAIS L'IMPRESSION DE RÊVER EN ALLANT VOIR LES LIEUX D'AUTREFOIS.

Ça alors ! Chez Tommy, elle avait dit que la maison Robie la faisait rêver, et elle était allée la voir ce matin. Et voilà qu'ici il était question d'aller voir les lieux d'autrefois... Elle referma le livre en frissonnant ; il l'effrayait, tout à coup. L'histoire semblait presque faire écho à sa vie – ou bien était-ce l'inverse ? Et si c'était l'inverse, où était l'homme invisible ? Elle repoussa fermement cette idée.

Les « lieux d'autrefois » lui firent penser à Mrs. Sharpe, sa voisine. Elle vivait à Hyde Park depuis toujours. Saurait-elle quelque chose de particulier à propos de la maison ?

Petra gagna le téléphone de l'entrée et composa le numéro de Calder.

– J'ai une idée, dit-elle aussitôt. Et si on allait rendre visite à Mrs. Sharpe ?

Calder sembla mal à l'aise.

– Euh... peut-être. Mais on ne peut pas y aller sans Tommy.

– Alors invite-le, répondit Petra d'un ton neutre.

– Je ne peux pas venir.

Voyant que Petra ne réagissait pas, Calder ajouta vivement :

– J'ai une idée dont je vais suivre la piste en solo demain après-midi. Vous n'avez qu'à parler à Mrs. Sharpe, vous, et ensuite on pourra comparer nos résultats. Dans la vraie vie, les détectives privés ne se baladent pas en troupeau.

*En solo...* Ces mots étaient douloureux pour Petra. Un million de questions lui vinrent aussitôt à l'esprit : « Pourquoi tu fais quelque chose sans moi, sachant qu'on travaille si bien ensemble ? », « Ça fait longtemps que tu réfléchis à ce plan dans ton coin ? » et « Depuis quand on échange des informations comme des professionnels ? On n'est plus amis ? »

Tout ça, c'était la faute de Tommy. Elle le savait.

Craignant que sa voix ne se mette à trembler, Petra se contenta de répondre :

– Très bien.

Et elle raccrocha.

Elle remonta dans sa chambre à pas lourds, ferma la porte et s'affala sur son lit. Elle sortit *L'Homme invisible* et reprit sa lecture : la peur valait mieux que la tristesse.

Ce livre offrait une distraction bienvenue. Il était tellement passionnant ! L'homme était invisible sous ses vêtements, mais ce n'était pas *dit* expressément : le lecteur arrivait à cette conclusion petit à petit. À mesure que l'histoire avançait, l'étranger devenait enragé, violent même, et sortait rôder dans le village sans ses habits. Il allait jusqu'à s'introduire dans une maison pour voler de l'argent. C'était l'hiver et parfois, alors que l'étranger n'était nulle part en vue, on entendait un reniflement sonore dans l'air : il avait attrapé un rhume. Il restait des heures entières dans sa chambre à faire ce qu'il appelait des « expériences scientifiques ». De temps en temps, il jurait et cassait des bouteilles. Des manches vides claquaient des portes, des vêtements flottaient tout seuls, et, un jour, une chaise volait dans les airs et poursuivait la femme de l'aubergiste.

De nouveau, Petra dut reposer le livre. C'était décidément terrifiant d'imaginer un homme invisible, nu et furieux, qui pouvait se promener dans votre maison ou votre quartier. Terrifiant et embarrassant !

Mais l'idée d'être invisible… Petra se figurait sans peine le plaisir de circuler sans être vue. Elle pourrait écouter des conversations, lire par-dessus des épaules, et même se glisser à l'intérieur de la maison Robie… L'invisibilité vous donnerait un pouvoir incroyable, et parfaitement sûr. Ce serait fabuleux.

Soudain ragaillardie, Petra téléphona à Mrs. Sharpe, qui l'invita pour le thé le lendemain après-midi à quatre heures. Elle se dit que ç'aurait été trop d'y aller avec Tommy et Calder, de toute façon. Trois personnes, c'est une foule.

Le mot « trop, trop » déferla dans sa tête tandis qu'elle s'endormait. Exactement comme des vagues sur le sable, songea-t-elle, ou de l'eau qui clapote dans un aquarium…

Brusquement, elle se redressa d'un bond.

Pourquoi Tommy avait-il déplacé son aquarium quand ils lui avaient rendu visite, cet après-midi ? Il s'était tellement précipité que l'eau avait clapoté dans le récipient, et Petra avait bien vu que Calder avait l'air étonné. Ce petit sournois de Tommy avait voulu cacher quelque chose, elle en était certaine.

Quelque chose qu'il ne voulait pas montrer à Petra, ni peut-être même à Calder. Quelque chose qui était dans l'aquarium.

Mais quoi ?

# CHAPITRE 16
## Fenêtres sur cour

Le lendemain à 15 h 46, Calder, Tommy et Petra se trouvaient chacun dans un coin différent de Hyde Park, formant un triangle scalène qui s'étirait rapidement. À 16 h 10, ils étaient devenus les sommets d'un triangle isocèle. Curieusement, il y avait un triangle de même proportion exactement dans les vitraux de la maison Robie, mais les trois enfants l'ignoraient.

Calder frappa doucement à la porte de la chambre d'hôpital.

– Entrez, dit une voix d'homme.

Le garçon eut envie de s'enfuir. À présent, il regrettait de tout son cœur d'être venu seul. Il entra.

Henry Dare était rouge et blanc et paraissait collant, un peu comme un grand sucre d'orge. Il avait des bandages sur la tête et le ventre, et son front sérieusement brûlé par le soleil était couvert de transpiration. Il était plus jeune que Calder ne l'avait imaginé.

– Assieds-toi, petit.

Calder obéit, résistant à la tentation de remuer ses pentominos dans sa poche. Il parla en regardant les murs, les yeux agités comme des balles de ping-pong.

– On est venus pour... Je veux dire, je suis venu pour, euh... On est allés visiter la maison Robie avec quelques autres hier et, euh... on a plus ou moins vu la maison... *respirer*.

Sa gorge était devenue si sèche qu'il avait dû s'interrompre pour déglutir avant de prononcer le dernier mot.

Le maçon resta interdit. Quand il finit par répondre, il avait un ton aimable.

– Tu as entendu des rumeurs sur ma chute ?

Les pensées de Calder partaient dans tous les sens, telle une souris prise au piège.

– Non, qu'est-ce qui s'est passé ?

« De toute évidence, il sait que tu mens, se dit Calder, paniqué. Bien sûr que j'en ai entendu parler, sinon je ne serais pas ici ! »

Mr. Dare regarda par la fenêtre.

– Voilà, petit : il y a quatre jours, au moment où j'étais sur le toit, des idées bizarres me sont passées par la tête. Je me sentais libre et invisible, là-haut, et tout simplement heureux d'être en vie en cette matinée de printemps. À cet instant, la maison a frétillé – comme un animal, un poisson ou je ne sais quoi. Comme si elle savait ce que je pensais et voulait me montrer qui était le chef.

– Invisible ? répéta Calder. Et vous avez dit qu'elle avait frétillé comme un poisson ?

Mr. Dare et lui échangèrent un regard.

– Ça paraît fou, hein ? dit le maçon.

– Pas vraiment... répondit lentement Calder.

– Et ce n'est pas tout.

Mr. Dare lui parla aussi de la voix qu'il croyait avoir entendue en tombant, celle qui avait dit ou bien « Viens

pas chez moi ! » ou bien « Viens jouer chez moi ! ».

– Vous allez retourner travailler là-bas ? le questionna Calder.

Ce maçon avait l'air d'être un type bien ; Calder se demandait pourquoi il avait accepté un boulot si moche.

– Comment pourrais-je y retourner ? répondit Mr. Dare en appuyant sur chaque mot.

Il essaya de se redresser et grogna de douleur. Calder était perplexe. Qu'avait-il voulu dire ? « Je ne suis pas en état », « Comment pourrais-je retourner dans un endroit aussi effrayant ? », ou encore « Comment pourrais-je accepter un boulot pareil ? » ?

– Comment pourrais-je y retourner ? répéta Mr. Dare dans un souffle, en s'effondrant sur ses oreillers.

Il ferma les yeux. Calder sortit sur la pointe des pieds.

Quelque chose le troublait dans le récit de Mr. Dare. Le maçon avait dit qu'il s'était senti invisible et avait évoqué un poisson... De leur côté, Petra avait trouvé *L'Homme invisible*, et Tommy un poisson.

Était-ce juste une coïncidence ? Ou bien Calder était-il tombé sur une petite partie d'un tout, d'un vaste système qui pourrait l'aider à sauver la maison Robie ?

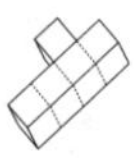

Pendant que Calder rentrait de l'hôpital, en faisant cliqueter énergiquement ses pentominos, Tommy et sa mère s'installaient devant *Fenêtre sur cour* avec des chips et des hors-d'œuvre à saucer.

Le film parlait d'un photographe avec une jambe cassée qui vivait dans un petit appartement au premier ou deuxième étage, un logement presque identique à celui où se trouvaient Tommy et sa mère à cet instant. C'était l'été, il faisait très chaud et tout le monde gardait ses fenêtres ouvertes la nuit. Coincé dans un fauteuil roulant pour plusieurs semaines, le photographe commençait à observer le petit drame qui se déroulait de l'autre côté de la cour. Les occupants de l'appartement d'en face, un homme et son épouse invalide, se disputaient régulièrement. Puis, un soir, le photographe entendait un cri fugace derrière les stores baissés de leur appartement. Toute la nuit, il surveillait le mari qui entrait et sortait de l'immeuble avec une lourde valise. À l'aube, il le voyait nettoyer de grands couteaux dans l'évier de la cuisine.

Cette fois, le photographe était vraiment intrigué et très inquiet. Le lit de l'épouse était vide, désormais, et on voyait le mari ouvrir et refermer des tiroirs dans sa chambre pour remplir une énorme malle.

Craignant d'avoir été l'unique témoin d'un meurtre, le photographe continuait d'épier son voisin d'en face depuis sa fenêtre, et les scènes angoissantes se succédaient. À la fin du film, Tommy, qui s'était rapproché de sa mère petit à petit, était collé contre elle dans un coin du canapé.

– Ouah ! commenta-t-il. Je ne savais pas que les vieux films pouvaient faire aussi peur.

– Le réalisateur, Alfred Hitchcock, est célèbre pour sa maîtrise du suspense. On ne voit pas beaucoup de violence, mais on se cramponne à son siège. La plupart de ses films jouent plus sur la force de ce qu'on imagine que sur la réalité de ce qu'on voit, expliqua Zelda Segovia.

Plus tard ce soir-là, pendant qu'elle se brossait les dents, la mère de Tommy entendit grincer des meubles qu'on déplaçait sur le plancher. Quand elle vint dire bonsoir à son fils, elle constata qu'il avait poussé son lit juste devant la fenêtre ouverte, en face de l'aquarium de Goldman.

Elle sourit.

– Fais attention, tu pourrais devenir un autre homme à la fenêtre... Oh, pardon, Goldman : *deux* hommes à la fenêtre ! Il vaut mieux ne pas allumer cette torche électrique : quelqu'un pourrait vous voir.

– Très juste, répondit tranquillement Tommy, en scrutant l'obscurité.

Il resta allongé sans dormir pendant un moment, à regarder les faisceaux de lumière balayer les segments de verre dans les fenêtres vides de l'arrière de la maison Robie chaque fois qu'une voiture passait. Elle était décidément attirante, cette maison. Tommy essaya d'imaginer ce que les enfants qui occupaient le deuxième étage tant d'années auparavant avaient pu voir quand ils regardaient dehors à travers ces motifs. Un monde de triangles et de parallélogrammes ?

Pas la chambre dans laquelle il était couché, en tout cas, voilà qui était sûr. Son immeuble n'avait pas encore été construit à l'époque.

Il entendit un tapotement discret, irrégulier, comme si un pic-vert s'était levé trop tôt et entreprenait un travail brouillon. Ce fut suivi par un cliquetis métallique, un choc sourd, puis le silence. En se redressant sur ses coudes, Tommy scruta la maison. Il inspecta soigneusement les fenêtres du deuxième étage auxquelles il venait de penser, et se rappela son mensonge au sujet de la main qui s'agitait comme un éventail. Et si elle apparaissait ? Et si elle lui faisait signe à cet instant ?

À son grand soulagement, il n'y avait que verre sombre, brique et légers effluves de fleurs dans la brise qui traversait le quartier comme un courant invisible. Comme pour répondre à cette image liquide, Goldman fit un nouveau tour de son aquarium. Tommy se rallongea en songeant que, même si sa relation avec Calder n'était pas aussi géniale qu'avant, c'était chouette d'être de retour à Hyde Park, de dormir à côté de Goldman en cette nuit de printemps, et d'observer les fenêtres sur cour d'une maison où il se sentait tellement chez lui.

« Où je me sens chez moi ? s'étonna-t-il vaguement dans son demi-sommeil. Je ne suis jamais entré à l'intérieur – je ne peux pas savoir comment je m'y sentirais ! » Il ne s'autorisa pas à se demander, même une seule seconde, s'il savait ce qu'on éprouve quand on est chez soi.

Les meilleurs collectionneurs sont également des voyageurs, se rappela-t-il. Ils emportent leur maison avec eux. Ils habitent des tas d'endroits différents, c'est comme ça qu'ils aiment vivre.

Tommy était profondément endormi quand le tapotement reprit. Ni lui ni Goldman ne l'entendirent.

# CHAPITRE 17

## *Une mystérieuse symphonie*

Mrs. Sharpe habitait à deux pas de Harper Avenue, toute seule, dans une grande maison où elle avait passé près de cinquante ans. Plantée sur le perron ce mardi après-midi, Petra regretta de tout son cœur que Calder ne soit pas avec elle. Ils étaient venus ensemble plusieurs fois prendre le thé avec Mrs. Sharpe, l'automne précédent, quand ils enquêtaient sur le tableau volé, mais Petra n'était jamais passée lui rendre visite seule.

La porte s'ouvrit à la volée dès l'instant où la jeune fille tira la sonnette, et Mrs. Sharpe lança d'un ton glacial :

– Dépêche-toi, ma petite. Tu laisses sortir l'air frais.

Laissant derrière elle des tapis orientaux moelleux et des murs couverts de tableaux et de livres, Petra suivit sa vieille voisine dans la cuisine. La maison de Mrs. Sharpe sentait la cire à bois et le chocolat. Elle avait préparé des cookies spécialement pour son invitée, alors qu'il faisait chaud ! Mrs. Sharpe était une femme étonnante, songea Petra affectueusement. On ne pouvait jamais totalement se détendre auprès d'elle, mais ce n'était pas gênant. Chaque fois que Mrs. Sharpe avançait une idée, elle en avait au moins quatre autres en réserve. C'était un grand esprit et, comme miss Hussey l'avait dit un jour, les grands esprits sont d'une nature imprévisible. Aujourd'hui, elle portait une robe en soie couleur prune, et ses cheveux blancs étaient enroulés soigneusement dans leur chignon habituel.

Mrs. Sharpe leur versa à chacune un verre de thé glacé à la menthe et attendit que Petra eut mangé deux cookies tout chauds avant de demander :

– Alors ? Comment vont les affaires des détectives en herbe ?

– Eh bien... on est allés voir la maison Robie hier avec la classe.

Petra savait que miss Hussey et Mrs. Sharpe étaient devenues amies, l'automne précédent.

La vieille dame hocha la tête d'un air approbateur.

– Ah. Voilà donc pourquoi tu es ici. Ce projet épouvantable marquera la fin d'une œuvre d'art extraordinaire.

Elle fit courir un doigt osseux le long de son verre, laissant une trace dans la condensation.

– En 1955, nous étions treize à vivre dans cette maison – rien que des étudiants. Je n'y ai passé que quelques semaines, pendant qu'on terminait un dortoir pour l'université de Chicago, mais c'est une expérience que je n'ai jamais oubliée.

– Vous avez *vécu* dans cette maison ? s'écria Petra d'une voix stridente. Vous avez fait vos études ici ?

– Histoire de l'art, répondit sèchement Mrs. Sharpe.

Elle contempla ses genoux pendant un moment, comme si elle attendait qu'une mouche cesse de bourdonner. Petra retint son souffle en se promettant de ne plus l'interrompre.

– Vivre dans cette maison donnait un peu l'impression de vivre dans un kaléidoscope qui tournait lentement.

La lumière capturée par ces fenêtres change toutes les heures, et même parfois d'une seconde à l'autre ; pourtant, ce qu'on voit s'accorde toujours avec tout le reste. Comme si Wright avait réussi à établir une harmonie entre la structure elle-même et tous les détails : les vitraux, les boiseries du plafond, les tapis, les lampes, les balcons... Tout change en permanence, et pourtant, tout reste homogène. Je doute que quiconque ait jamais pu comprendre exactement comment il y est parvenu. C'est une véritable symphonie, cet endroit – une symphonie complexe à la Beethoven qui vous affûte l'esprit même si vous ne pouvez pas entendre toutes les notes de la partition. Et quand on est à l'intérieur, il semble presque qu'on devient soi-même un élément de l'œuvre, un instrument entre les mains de Mr. Wright. On a le sentiment de servir l'imagination d'un autre.

Mrs. Sharpe avait un regard perdu dans le vague que Petra ne lui avait jamais vu. Elle savait que la vieille dame aimait écrire, et maintenant elle ne s'en étonnait plus : ses mots s'enchaînaient avec grâce et précision, comme des évidences. Petra était contente que les garçons ne soient pas là pour faire grincer leur chaise ou croquer des cookies à côté d'elle.

Paraissant presque avoir oublié la présence de Petra, la vieille dame poursuivit :

– Wright avait des difficultés dans sa vie personnelle, et de nombreuses personnes le trouvaient arrogant. Il était assez énigmatique, lui aussi – c'était un homme complexe, capable de faire paraître possibles des situations impossibles. Un jour, j'ai entendu raconter que Wright avait perdu un objet qui lui appartenait sur la propriété pendant les travaux – une sorte de talisman, une chose qui comptait énormément pour lui. Des années plus tard, il s'est démené deux fois pour que ce bâtiment échappe à la démolition. Mais aujourd'hui, il n'est plus là pour intervenir...

La voix de Mrs. Sharpe perdit son ton rêveur. Elle tourna vers Petra des yeux pétillants.

– C'est du moins ce qu'on *croit* !

Petra soutint son regard, mais ne parvint pas à sourire. De quoi parlait-elle ? Du fantôme de Wright ? Et qu'était-ce qu'un talisman ?

– Calder et moi, nous avons vu quelque chose de bizarre dans les fenêtres de la maison, hier : une sorte d'ombre, puis une lumière qui a balayé les vitres et qui a renversé dans un souffle les pentominos de Calder.

Petra ne s'était pas exprimée comme elle l'aurait voulu. Tout cela paraissait idiot. Pourtant, Mrs. Sharpe ne rit pas.

D'une voix douce, elle répondit :

– Oui, ces fenêtres s'expriment. Et j'ai entendu des histoires, au fil des années, à propos de gens et de lumières bizarres aperçus la nuit dans la maison. Étant donné son histoire, cela n'aurait rien de surprenant qu'il y ait des fantômes. Sachant qu'elle a été construite pour une famille, et pour des enfants en particulier, elle n'a vraiment pas eu le destin qu'elle aurait dû avoir.

Petra hocha la tête, en réfléchissant à toute vitesse.

– Et *vous*, vous en avez vu, des fantômes ? demanda-t-elle.

Elle s'attendait à ce que Mrs. Sharpe change brutalement de sujet, mais à sa grande surprise, elle déclara d'un ton impassible :

– Pas là-bas.

– Ah ? fit Petra, espérant qu'elle ne s'arrêterait pas là. Euh... où ça ?

Mrs. Sharpe poussa l'assiette de cookies vers sa visiteuse, qui en prit docilement un autre. Puis elle raconta :

– Ça s'est passé un été, quand j'avais à peu près ton âge. Nous étions sur l'île de Nantucket, dans le Massachusetts.

Petra reposa le cookie. Elle venait de se rappeler que Mrs. Sharpe et miss Hussey avaient toutes les deux de la famille à Nantucket. Leur prof connaissait-elle cette histoire ?

Mrs. Sharpe continuait :

– Mes parents avaient loué une maison du XVIII$^{e}$ siècle en bordure d'un cimetière. Il y avait des portes à loquet qui s'ouvraient toutes seules et, parfois, nous entendions des bruits de pas, mais d'après mon souvenir, je n'avais pas peur. Les gens de l'île sont très pragmatiques au sujet des fantômes. Le brouillard, curieusement, m'effrayait davantage. Tous les soirs, il enveloppait la maison : il tourbillonnait, dérivait et s'immobilisait dans les arbres ; et puis il y avait le chant funèbre de la corne de brume.

Petra frissonna, mais Mrs. Sharpe ne parut pas le remarquer.

– Je dormais toute seule dans une chambre du rez-de-chaussée. Une nuit, en me réveillant, j'ai vu la silhouette sombre d'une jeune fille agenouillée dans un coin de la pièce. Elle semblait s'efforcer péniblement de redresser une latte du plancher. Je me souviens qu'elle avait les cheveux nattés et une sorte de longue chemise de nuit flottante. Elle n'a pas eu l'air de se rendre compte que j'étais là, même quand j'ai fait du bruit. Finalement, elle a disparu en s'estompant. Mon premier instinct a été d'essayer de l'aider. Le matin, ma sœur et moi avons soulevé la large latte devant laquelle elle s'était agenouillée. Il y avait des bêtes mortes et d'épaisses toiles d'araignées. Manifestement, rien de ce qu'il y avait sous le parquet n'avait été dérangé depuis très longtemps ; nous avons découvert là-dessous un petit carnet avec une reliure en cuir.

Mrs. Sharpe se redressa lentement, leva un doigt et quitta la pièce. Quand elle revint, elle avait quelque chose à la main.

Le cuir était sec et craquelé. Le papier se gondolait et l'encre avait bavé, à l'intérieur, au point que les mots n'étaient plus que des taches et des pâtés.

– Oh, quel dommage ! éclata Petra. Vous ne pouvez rien lire !

– Impossible, malheureusement. Le papier a dû s'imbiber d'eau.

Mrs. Sharpe regarda tendrement le petit livre.

– Et vous l'avez *pris* ? s'étonna Petra.

– J'ai pensé que c'était ce qu'elle voulait. Mais j'ai mis quelque chose à la place sous cette latte : mon exemplaire d'un livre qui s'appelle *L'Homme invisible*. Je me souviens qu'il faisait paraître très réelles des idées dérangeantes ; aujourd'hui encore, je ne peux pas regarder une pensée sans qu'il me revienne à l'esprit.

– Quoi ? hoqueta Petra. Les pensées ? Je suis en train de le lire en ce moment ! *L'Homme invisible*, je veux dire.

Mrs. Sharpe haussa un sourcil ; cette coïncidence ne paraissait pas la surprendre. Elle dit calmement :

– Je voulais transmettre un message à l'apparition, pour lui faire comprendre que je la croyais bien réelle – parfois visible, et parfois non.

– À votre avis, pourquoi j'ai trouvé deux exemplaires de *L'Homme invisible*, à deux endroits différents, juste avant que vous me racontiez cette histoire ? la questionna Petra.

Mrs. Sharpe se leva, indiquant que la visite était terminée.

– Bonne chance dans vos recherches sur la maison Robie, conclut-elle abruptement.

– Mais... je voulais vous demander si vous connaissiez des secrets qui pourraient nous aider à sauver la maison, lança vivement Petra.

– Combien de secrets peux-tu apprendre en un seul jour ? répliqua Mrs. Sharpe d'un ton énigmatique. Je pense que tu as tout ce dont tu as besoin.

Quand la porte se referma, Petra resta devant la maison pendant un moment, en clignant des yeux dans la lumière de la fin d'après-midi. C'étaient peut-être à cause des cookies et du sucre dans son thé glacé, mais elle avait l'impression d'avoir une balle de ping-pong fugueuse dans la tête. Pendant qu'elle rentrait chez elle, une foule d'idées tourbillonna dans son esprit : les fantômes, *L'Homme invisible*, Frank Lloyd Wright construisant un kaléidoscope de taille humaine et laissant un tali-chose derrière lui…

En passant devant chez Calder, elle jeta un coup d'œil au ciment frais qui bouchait une fissure du trottoir. Six lignes semblaient presque tracer un I, un N et un V. « Un enfant a dû gratter le ciment avec un bâton », raisonna-t-elle, mais le mot *invisible* rebondit encore et encore dans sa tête.

*Combien de secrets peux-tu apprendre en un seul jour ? Je pense que tu as tout ce dont tu as besoin.*

« Tout ce dont j'ai besoin ? songea Petra. Que m'a appris Mrs. Sharpe ? Et pourquoi n'était-elle pas étonnée que je sois en train de lire *L'Homme invisible* ? »

# CHAPITRE 18
## *Sacrilège*

Miss Hussey était à peine visible, le lendemain matin, quand elle ouvrit la porte de la salle de classe. Elle avait une grosse pile de feuilles cartonnées en équilibre sur une épaule et, sur l'autre, un énorme tube en carton. Un seau de ciseaux pendait à son bras. Un sac en plastique rempli de tubes de colle était coincé sous son coude. Ses élèves se précipitèrent pour aider à la décharger.

Elle avait son air cachottier et refusa de répondre aux questions avant que tout le monde soit assis.

– Quand vous avez quitté le collège, hier, je me suis rendu compte que nous devons faire exactement ce que vous avez suggéré : détruire des tableaux. J'ai foncé à la boutique de l'Art Institute, en ville, et quand je leur ai dit que vous essayiez de sauver la maison Robie avec ce projet, ils m'ont donné pour une bouchée de pain trente affiches différentes d'œuvres célèbres de leur collection. Ce matin, j'ai emprunté le reste de ce matériel à la salle de dessin. Notez bien les ciseaux et la colle. Maintenant, d'après vous, qu'allons-nous faire au juste ?

– Du découpage et du collage ! hurla une voix ravie.

– Retour à la maternelle, marmonna Denise.

– C'est moi qui choisis en premier !

– Non, c'est moi !

Miss Hussey leva les mains, comme pour arrêter la circulation.

– Et de quoi s'agit-il ?

– De découper de l'art en morceaux, bien sûr, répondit quelqu'un.

– Bien, acquiesça miss Hussey, l'air enchantée. Il s'agit d'un sacrilège. D'une profanation. D'un horrible saccage. Nous allons d'abord coller toutes les affiches sur du carton, afin de les rendre rigides. Ensuite, j'ai pensé que chacun d'entre vous pourrait choisir une image et en découper un morceau vital, le morceau qui manquerait le plus selon vous, pour qu'il soit clair que vous avez fait quelque chose de terrible. Et après...

Miss Hussey fit une pause.

– Après, je ne suis pas sûre de ce que devrait être l'étape suivante.

– Non !

Tommy avait une voix à la fois gênée et excitée. Tout le monde se tourna vers lui.

– Je veux dire, on devrait découper les affiches *devant* les gens qu'on veut choquer. Vous savez, l'idée du meurtre : nous voir découper une des meules de foin, c'est pire que de voir le tableau en deux parties après coup. C'est plus violent.

Calder avait déjà sorti ses pentominos sur sa table.

– Tommy a raison. Il faut qu'ils y assistent !

– Ouais !

– Le massacre de l'art !

Miss Hussey balaya la classe du regard.

– N'allons pas trop loin dans l'horreur, s'il vous plaît… mais je suis obligée d'approuver. C'est une initiative extraordinaire, dit-elle lentement. Tout à l'heure, après les cours, je téléphonerai à la presse, à la télévision, à tous ceux qui pourront en parler ; je les préviendrai qu'un groupe d'enfants de Hyde Park a un plan pour sauver la maison Robie et qu'il y aura un événement public. Ce genre d'attention est précisément ce qui pourrait faire entrer l'argent pour sauver la maison. Il ne nous reste plus que trois jours de cours, mais je suis sûre qu'on peut être prêts pour demain. Le mieux, ce serait de tous vous poster sur le trottoir devant la maison, avec chacun un tableau à la main, avant de l'attaquer aux ciseaux – en passant un par un, pour qu'on saisisse toute l'horreur de cette idée !

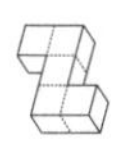

À la fin de la matinée, une pile d'images célèbres était appuyée contre le tableau. *Un dimanche après-midi à la Grande Jatte* de Georges Seurat se trouvait à côté de *Chez la modiste* d'Edgar Degas, *Oiseaux de nuit* d'Edward Hopper jouxtait *Homme avec moustache, gilet et pipe* de Pablo Picasso, et *Femme devant un aquarium* d'Henri Matisse était posé près d'une Tahitienne de Paul Gauguin. À un moment, la porte s'ouvrit et le principal, qui faisait visiter le collège à de futurs élèves et à leurs parents, regarda autour de lui avec un air perplexe et murmura à son groupe :

– On s'intéresse beaucoup à l'art, chez nous.

Les élèves de miss Hussey l'approuvèrent gaiement d'un hochement de tête. Quand la porte se referma, la prof leur adressa un clin d'œil.

Pendant que les enfants grattaient la colle séchée sur leurs coudes et leurs genoux, elle lança :

– Vous savez garder les secrets ?

Il y eut une vague rugissante de « oui ».

– Pour le moment, pas un mot à quiconque de ce que nous allons faire. Compris ? Je sais que c'est difficile, mais parfois il est important de cacher certaines informations.

Tommy se retourna vivement sur sa chaise et jeta un regard triomphant à Calder, qui lui tira la langue. Ils pensaient tous les deux au poisson de pierre.

– Mais si les autorités découvrent ce que nous prévoyons ? Peut-on nous en empêcher ? demanda Petra d'une voix soucieuse.

Miss Hussey secoua la tête.

– Je pense que tout ira bien du moment que nous ne franchissons pas le cordon de sécurité. En plus, il y aura des journalistes. Devant eux, en général, les agresseurs éventuels se tiennent bien. Et les enfants, comme nous le savons tous, ne font jamais rien de mal !

Miss Hussey leur adressa un sourire malicieux.

Ses élèves mouraient d'impatience de passer à l'action.

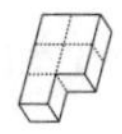

Le jeudi 9 juin était exactement comme les enfants l'avaient espéré : une journée chaude et claire, avec une brise bienvenue. Un temps idéal pour une manifestation.

Quand la classe obliqua au coin de la 58e Rue, en direction de la maison Robie, elle s'arrêta un instant en voyant les caméras de télévision et les camionnettes garées devant, avec des logos de la presse sur les flancs. Miss Hussey se retourna et leur souffla :

– Ne leur montrez pas que vous avez le trac !

Une foule d'au moins soixante personnes s'était rassemblée dans la rue autour de la maison, et la police, qui avait été informée à l'avance, avait bloqué la zone avec des barrières. Les parents avaient tous été invités ; on en voyait beaucoup qui regardaient par-dessus les têtes des journalistes.

Les élèves s'alignèrent devant la maison, formant une longue haie. Chacun brandissait une grande affiche.

Un par un, ils se détachèrent de la rangée et se présentèrent, ainsi que l'œuvre d'art qu'ils avaient à la main. Miss Hussey avait précisé qu'ils pouvaient en dire ce qu'ils voulaient.

Petra s'avança.

– Je m'appelle Petra Andalee, et voici *La Chute d'eau* d'Henri Rousseau. Il l'a peinte en 1910, l'année où la maison Robie a été terminée. J'aime bien cette peinture, parce

qu'elle est enchevêtrée et mystérieuse ; les feuilles et les plantes ont presque l'air de respirer. Si je lui fais ça...
Elle s'interrompit pour trancher vigoureusement le tableau, coupant deux personnages en deux.

– ... est-ce que ça change ce que vous voyez ? Est-ce que j'ai deux morceaux d'art, ou un seul crime ?

Calder souleva une peinture abstraite, de format carré.

– Je suis Calder Pillay, et ce tableau a été peint en 1921 par Piet Mondrian. Il s'intitule *Composition avec jaune, noir, bleu, rouge et gris*. Comme vous pouvez le voir, ce sont des rectangles imbriqués. Il y a un triangle jaune, un triangle bleu, un triangle rouge, un carré noir et sept figures blanches. Tous les éléments sont d'une taille différente et il y a quelque chose d'absolument parfait dans leur manière de s'assembler. La maison Robie compose une géométrie élaborée. Si on découpe le tableau comme ça...

Calder s'arrêta pour cisailler l'affiche cartonnée.

– ... vous trouvez que c'est la même chose ? Bien sûr que non. Et si la maison Robie est démantelée...

Il marqua une pause.

– ... il est facile d'imaginer quel gâchis ce serait.

D'autres élèves expliquèrent qu'ils aimaient bien ces personnages qui pique-niquaient sur une île, en été, puis découpèrent une ligne en zigzag séparant le groupe ; ou qu'ils admiraient cette femme vêtue d'une robe de bal, avant de lui trancher la tête ; ou qu'ils appréciaient cette scène de plage, avant de détacher l'eau.

Les discours et la destruction se poursuivirent. Les seuls bruits émanant de l'assistance étaient un hoquet ou un reniflement de temps en temps. Ce fut, comme miss Hussey l'avait anticipé, un spectacle émouvant et mémorable.

Quand vint le tour de Tommy, il dit :

– Je suis Tommy Segovia, et j'ai presque toujours vécu à Hyde Park. Je trouve que la maison Robie est une œuvre d'art, tout comme ce tableau de Vincent Van Gogh. Il s'appelle *La Chambre*, et Van Gogh l'a peint en 1889. Je l'aime bien, parce qu'il est paisible et qu'il présente des murs bleus, un plancher vert, deux chaises jaunes, une couverture rouge et une fenêtre ouverte, le tout disposé dans un angle insensé. Si je coupe la pièce en deux, regardez ce qui se passe.

Tommy cisailla l'image, puis brandit les deux morceaux.

– C'est fichu. En quoi le démantèlement de l'œuvre de Frank Lloyd Wright serait-il différent ? La maison Robie a été bâtie pour rendre des enfants heureux, et ceux qui y ont vécu ne l'ont jamais oubliée. Ils adoraient avoir autant de lumière, et ils adoraient entrer, sortir, monter et descendre en courant. Les gens disent que ce bâtiment a l'air vivant, et nous avons la même impression, nous. Si vous n'essayez pas de le sauver, vous serez les témoins d'un...

Il jeta un regard hésitant à miss Hussey, puis se lança :

– ... d'un meurtre.

Il y eut un silence ébahi, puis quelqu'un applaudit. Bientôt, l'assistance entière se mit à frapper dans ses mains,

y compris les journalistes. Tommy, aux anges, avait l'air ahuri, comme s'il ignorait d'où lui étaient venues ces paroles. Des élèves de sa classe lui donnèrent des tapes dans le dos et ramassèrent les morceaux de leurs affiches pour les agiter en l'air.

Quand la classe repartit vers l'école, Tommy ne sentait pratiquement plus le sol sous ses pieds. Des camarades qui ne lui avaient pas adressé la parole une seule fois depuis son retour se montraient gentils avec lui. Même Denise lui sourit. Il se mordit les joues si souvent, ce matin-là, qu'il finit par avoir mal.

Petra, qui marchait du côté de la maison, lui parla dans sa tête : *Tu vois ? Nous, les enfants, on tient à toi. On n'abandonnera pas la lutte pour te sauver*. En regardant les fenêtres vides, elle fut un peu intimidée par sa promesse. Pourrait-elle la tenir ?

Calder se retourna pour jeter un coup d'œil vers la maison et vit Henry Dare à l'angle, avec une canne. Il eut envie de lui faire signe, mais le maçon regardait ailleurs. Mr. Dare avait-il écouté leurs discours ?

À cet instant, Calder perçut une petite voix claire, avec un léger écho, qui venait du jardin à côté de la maison. « Viens jouer chez moi ! » résonna dans la lumière du matin. N'était-ce pas ce que Mr. Dare avait entendu quand il était tombé ? Calder regarda vivement autour de lui, le cœur battant, mais personne d'autre ne semblait avoir remarqué.

Quand il releva la tête, les fenêtres de la maison Robie

lui parurent sombres et tristes. On n'y voyait qu'un seul reflet : le jaune criard du cordon de sécurité.

La manifestation avait été un triomphe. À la une du *Chicago Tribune*, le lendemain matin, il y avait une photo de Tommy Segovia brandissant la moitié du Van Gogh, la bouche grande ouverte. « Meurtre annoncé à Hyde Park », disait le gros titre. Tommy était impatient d'arriver en classe.

Quand il tourna précipitamment au coin de la maison Robie, pour se rendre au collège, un homme en tenue d'ouvrier enjamba le cordon de sécurité et se planta au milieu du trottoir. Tommy le contournait en trottinant quand il s'écria :

– Hé ! C'est toi le gamin qui est dans le journal ?

Tommy hocha la tête et sourit, attendant des félicitations. La veille au soir, il avait vu sa classe au journal télévisé et avait entendu ses camarades à la radio, et ce matin, il s'était vu lui-même à la une d'un grand quotidien national.

– Je ne serais pas trop fier si j'étais toi, grogna l'homme.

Il portait des lunettes avec une lourde monture noire et des verres épais – ses yeux semblaient petits et méchants. Surpris, Tommy partit en courant, chose que sa mère lui avait appris à faire si jamais il se retrouvait seul dans une situation qui ne lui plaisait pas.

À l'angle du pâté de maisons, il se retourna et eut la surprise de voir que l'homme était toujours sur le trottoir.

Les bras croisés sur la poitrine, il fixait Tommy d'un air furibond.

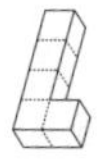

Ses camarades lui topèrent dans la main toute la matinée, alors Tommy oublia vite cet échange désagréable devant la maison Robie. Il ne s'était jamais senti aussi populaire.

À l'heure du déjeuner, miss Hussey, qui ressemblait à une fleur épanouie dans sa tenue toute rose, fit une annonce : le principal venait de lui apprendre qu'une délégation constituée du maire de Chicago, d'un représentant du Fonds national pour la préservation des monuments historiques, du président de l'université de Chicago et de plusieurs grands avocats allait venir visiter et évaluer l'état de la maison la semaine suivante.

– Même si les cours seront finis à ce moment-là, c'est une formidable nouvelle, dit-elle. Mission partiellement accomplie : nous avons attiré l'attention et maintenant, si la maison est démantelée, les musées concernés devront sérieusement réfléchir à ce qu'ils acceptent.

Pour fêter ça, miss Hussey commanda des pizzas, même si c'était la récompense prévue pour quand les pieds de papier auraient terminé leur marche autour des murs de la classe. Ils auraient dû attendre d'avoir relié les pieds, mais d'après elle, la classe avait mis le pied sur quelque chose de plus important.

Elle n'avait pas l'air fâchée qu'ils n'aient pas terminé les vingt dernières pages des manuels d'orthographe et de mathématiques, et qu'ils n'aient travaillé sur rien d'autre que les idées pour la maison Robie pendant la dernière semaine.

Tommy commençait à penser que miss Hussey était une prof géniale, et que se battre pour la maison Robie se révélait une formidable aventure.

Il n'abandonnerait pas.

# CHAPITRE 19
## *Bonne pêche*

Les cours de l'année scolaire se terminaient le lundi 13 juin.

Le début des vacances d'été était toujours doux-amer pour Calder. Il appréciait la liberté de faire ce qu'il voulait et la perspective d'autant de journées sans programme et de soirées sans devoirs, mais sa maison était trop calme. En juillet et en août, le quartier lui paraissait affreusement tranquille ; les étudiants quittaient l'université et nombre de ses camarades partaient en colonie de vacances. Ses parents à lui n'aimaient pas les colonies. Et puis il y avait Petra et Tommy, qui seraient tous les deux chez eux aussi. Calder n'était pas sûr que ce soit une bonne chose.

Le dernier matin d'école, les enfants vidèrent leurs pupitres et leurs casiers, et remplirent des sacs en plastique de vieux devoirs, de gommes usées et de cahiers. Beaucoup de gants ressurgirent et des livres en retard retournèrent à la bibliothèque. Avant la sonnerie, miss Hussey convoqua tout le monde dans le fond de la salle. Ses élèves s'assirent sur le plancher, formant un grand cercle.

– Avant que vous partiez, je vais faire passer mon porte-bonheur.

Le galet gris qui trônait en permanence sur son bureau remplissait désormais la paume de sa main.

– Je l'ai trouvé sur une plage que j'adorais quand j'avais à peu près votre âge. C'est un peu mon talisman : vous savez, un objet qui a des pouvoirs magiques, qui entend vos souhaits et vos rêves. Certains pensent qu'un talisman peut vous protéger.

Petra haussa les sourcils : c'était donc ça, un talisman ! D'abord Wright en avait eu un, et maintenant miss Hussey...

– Quand vous toucherez le galet, fermez les yeux et faites un vœu. Ne confiez à personne quel vœu vous avez fait. Mais avant tout, j'ai deux choses à vous dire : premièrement, sachez que vous avez des possibilités phénoménales au fond de vous, même si personne d'autre ne s'en rend compte ; et deuxièmement, sachez qu'on ne voit pas toujours le résultat de ses actions. Ce que vous avez commencé à faire, pour la maison Robie, changera très certainement la destinée de cette œuvre d'art. Soyez patients, et certains que vous avez fait de votre mieux. C'est une maison qui a des pouvoirs particuliers.

La classe resta silencieuse tandis que le galet passait de main en main. Certains enfants souriaient en le tenant ou balayaient la pièce du regard, comme s'ils cherchaient une idée de vœu. Quand Tommy le récupéra, il ferma les yeux si fort qu'il vit des petits points. Son tour venu, Calder regarda fixement sa poche à pentominos en faisant son vœu. Et Petra serra le galet si longtemps que le suivant chuchota :

– Un seul vœu !

Petra le fusilla du regard.

La journée se termina juste avant le déjeuner. Ce fut

pénible de dire au revoir à miss Hussey ; il y eut des voix tremblantes, des têtes basses et de longs câlins.

Calder remua bruyamment ses pentominos quand il descendit l'escalier d'un pas sautillant pour sortir du bâtiment.

– Attends-moi ! s'écria Tommy.

Petra les rattrapa aussi et marcha de l'autre côté de Calder. Elle proposa qu'ils se préparent des sandwichs chez elle et les emportent dans la cabane des Castiglione ; les garçons acceptèrent.

Tandis qu'ils quittaient le collège et se dirigeaient vers Harper Avenue, un vent chaud balaya en tourbillons rageurs autour de la cour de récréation les journaux qui s'étaient envolés, et les vacances d'été commencèrent sous des nuages lourds.

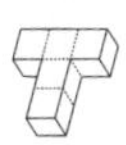

Pour éviter que les garçons aient une vue privilégiée sur son derrière pendant qu'elle grimpait, Petra attendit qu'ils soient tous les deux montés en haut de l'échelle, l'un portant la bouteille de soda, l'autre, les trois sandwichs au beurre de cacahuètes et à la confiture. Puis elle glissa son crayon derrière une oreille et les rejoignit en serrant son carnet entre les dents.

La cabane des Castiglione était une construction usée qui occupait presque tout un érable du jardin de derrière, entre chez Petra et chez Calder. C'était un petit abri fermé, avec une fenêtre et une trappe. Douze planches clouées au tronc formaient une échelle. Les enfants des Castiglione avaient quitté la maison des années plus tôt, mais la cabane était toujours là.

En sortant du collège, Petra, Calder et Tommy avaient regagné Harper Avenue sans parler et ils avaient préparé les sandwichs dans un silence encore plus pesant. Une fois installés dans le petit abri perché au milieu du feuillage pour manger leur casse-croûte, les deux garçons, mal à l'aise, attendirent que Petra dise quelque chose.

Elle leva son gobelet en carton.

– À la maison Robie. Et au fait qu'on n'abandonnera pas.

D'un air plus prudent qu'enthousiaste, Calder et Tommy haussèrent leurs gobelets et tout le monde but une gorgée.

– Mais d'après ce qu'a dit miss Hussey, on laisse tomber, marmonna Tommy.

– C'est parce qu'elle ne voulait pas qu'il nous arrive quelque chose, répliqua Petra d'un ton égal. Vous la voyez abandonner, elle ?

– Non, admit Calder.

– Et vous pensez que nous, on devrait ? insista Petra. Imaginez le délire si on sauve l'une des plus grandioses maisons construites au XXe siècle ! Pourquoi ne pas essayer ?

– D'accord, dit Tommy en se redressant. Je n'allais pas abandonner, de toute façon. Je me sens proche de Frank Lloyd.

– Moi aussi ! s'exclama Petra. Comme on est trois, on devrait s'appeler « le trio Frank Lloyd » !

– Génial ! l'approuva Calder.

Tommy parut contrarié quand Petra ouvrit son carnet à une page vierge et récupéra son crayon. Il la regarda écrire en haut de la page :

Le trio Frank Lloyd

– Bon. Et maintenant, on fait quoi ? demanda-t-elle.

Les garçons restèrent muets. Calder sortit ses pentominos et Tommy ôta une écharde de son genou.

– Et si on se racontait tout ce qu'on sait au sujet de la maison ? Tout ce qu'on a remarqué, par exemple... Les choses étonnantes qui ne sont pas dans les livres, suggéra Petra.

– Bof, répliqua cavalièrement Tommy.

Petra le considéra avec stupeur.

Calder intervint :

– Tommy. C'est quoi ton problème ?

– Comment être sûrs que nos secrets seront bien gardés si on est au courant *tous les trois* ? demanda Tommy.

Petra, irritée, écarquilla les yeux et se tourna vers Calder.

– Voilà ce que je vous propose, dit celui-ci. Il nous faudrait quelque chose, une sorte d'emblème du trio Frank Lloyd, à partager chaque fois qu'on pense avoir progressé. Cet emblème signifiera qu'on se fait confiance. Ça pourrait être un bonbon ou je ne sais quoi.

Tommy s'éclaira.

– J'ai un grand sachet de bonbons gélifiés en forme de poissons à la maison.

– Parfait ! dit Petra. En les mangeant, on prouvera qu'on sera muets comme des carpes... Hé ! Vous savez ce que ça veut dire, « noyer le poisson » ? Dans un roman policier, par exemple ?

Les garçons secouèrent la tête.

– Ça veut dire brouiller les pistes. Chaque fois qu'on a fait une bonne pêche, on pourrait la manger ! Qu'est-ce que vous en pensez ?

Tommy sourit.

– J'ai pigé. On mange un poisson chaque fois qu'on a avancé !

– On s'approche de la vérité poisson après poisson, confirma Petra en hochant la tête.

– Chouette ! approuva Calder.

Petra rouvrit son carnet. Le visage de Tommy s'assombrit.

– Il ne faut rien noter ! dit-il. Et si quelqu'un tombait dessus ?

– Elle réfléchit sur le papier comme je réfléchis avec les pentominos, lui expliqua Calder. Laisse-la faire.

Tommy redressa le menton d'un air obstiné : pour lui, de toute évidence, ce n'était pas une bonne idée.

– Et si je créais un nouveau code pour le carnet ? Un code facile à utiliser ? proposa Calder.

– Bonne idée, dit Petra. Et je ne noterai rien tant que

je n'aurai pas le code. Mais commençons : il ne nous reste que huit jours avant le démantèlement de la maison, alors on n'a pas de temps à perdre.

À cet instant, il y eut un « tap-grat-tap » sur la vitre, derrière eux, qui les fit sursauter tous les trois. Une branche morte balayait la fenêtre de la cabane ; les doigts gris de ses brindilles recroquevillées semblaient leur adresser un salut raide.

– Je me lance en premier, dit Petra.

Elle raconta aux garçons sa visite chez Mrs. Sharpe et la coïncidence entre l'histoire de fantôme à Nantucket – où il était question de *L'Homme invisible* – et les deux exemplaires du livre qu'elle avait trouvés la semaine précédente, comme elle l'expliqua à Tommy. Elle conclut par le récit de leur vieille voisine, selon laquelle Wright avait perdu un talisman devant la maison.

Tommy fronça les sourcils et se rongea un ongle.

– Ça fait beaucoup de secrets, déclara Calder en jetant un rapide coup d'œil à son ami. Bon, moi, je suis allé voir le maçon qui est tombé du toit.

Ce fut au tour des deux autres de le regarder avec stupeur. Calder leur confia ce que Henry Dare lui avait dit à propos de la maison, qui s'était ébrouée pour le faire tomber, selon lui, et de la voix qu'il pensait avoir entendue pendant sa chute. Il ajouta qu'il était presque sûr d'avoir entendu une voix d'enfant devant la maison, lui aussi, le jour de la manifestation.

– Est-ce que l'un de vous a remarqué quelque chose ce jour-là ?

Tommy et Petra secouèrent la tête. Calder parla de la suite de Fibonacci et du fait qu'il l'avait remarquée autour d'eux dans les dates, les pentominos et les trois que Petra avait vus dans les fenêtres de la maison Robie. Il se demandait si ces nombres essayaient de leur transmettre un message, une information qui pourrait aider à sauver la maison.

– Bizarre, commenta Tommy.

C'était son tour, mais il garda le silence et tritura le manchon en plastique au bout de son lacet. Tout le poussait à s'enfuir. Si seulement il avait une minute avec Goldman, une minute pour réfléchir ! Si jamais il avait appris une chose dans la vie, c'était qu'il est dangereux de faire confiance aux gens. Non seulement il avait peur de révéler sa découverte à Petra, mais en plus ce serait peut-être stupide. Le poisson de pierre était sa plus précieuse trouvaille.

– Allez, Tommy. J'ai raconté pas mal de secrets, et Petra aussi. Sois juste.

Petra repoussa d'une pichenette, l'air concentré, une miette de terre collée à son carnet, comme si c'était plus intéressant que tout ce que Tommy pourrait dire.

– Très bien, mais si l'un de vous me trahit, je le tuerai.

Calder leva les yeux au ciel et attendit que Petra se mette en colère. Mais elle répondit d'une voix douce :

– Personne ne te trahira. Écoute, tu viens d'apprendre un tas de trucs par Calder et moi. On ne s'inquiète pas, nous. Et tu vois bien que je ne note rien. Parce que tu ne voulais pas que je le fasse.

Tommy déglutit.

– J'ai trouvé un poisson en pierre. Dans le jardin de la maison Robie, lâcha-t-il brusquement. Je l'ai découvert en creusant le sol, et il a l'air d'être resté longtemps sous la terre. Je pense qu'il est ancien et… eh bien, il me rappelle un peu des trucs que j'ai vus à Chinatown.

Calder sourit et leva la main devant son vieux copain ; Tommy la topa sans enthousiasme.

– On sait que Frank Lloyd Wright était collectionneur d'art asiatique… réfléchit Petra à haute voix. Mais ce qu'il affectionnait, c'étaient les estampes japonaises. Qu'est-ce qu'il aurait fabriqué avec un petit poisson chinois dans sa poche ?

– Ouais, ça m'étonnerait que le poisson ait un rapport avec Wright, ajouta Tommy en prenant un air innocent. Mais j'ai pensé qu'il était peut-être précieux et que, dans ce cas, je pourrais le vendre. Ma mère et moi, on fait des économies pour acheter un logement où s'installer pour de bon, conclut-il.

– Où est le poisson ? demanda Calder.

– C'est Goldman qui l'a.

– Ah ! s'exclama Petra.

Pas étonnant que Tommy ait déplacé l'aquarium du poisson rouge quand Calder et elle étaient venus chez lui !

Par la fenêtre de la cabane, ils virent un éclair aveuglant, suivi aussitôt par un coup de tonnerre retentissant. Le ciel s'assombrit, prenant une teinte d'un noir inquiétant, et les enfants s'engagèrent sur l'échelle, Petra en tête, avec son carnet dans la bouche.

À mi-chemin dans la descente, un énorme coup de vent souleva sa chemise. Elle se tourna sur le côté pour se couvrir. Le carnet s'envola, et elle le perdit de vue quand ses cheveux lui fouettèrent le visage. À présent, des branches grinçaient au-dessus de sa tête, et un deuxième éclair fut suivi par un craquement assourdissant. De grosses gouttes de pluie se mirent à tomber.

Au pied de la cabane, le jardin était envahi de mauvaises herbes et de buissons touffus ; Petra fouilla frénétiquement pendant que les garçons la rejoignaient en bas.

– Mon carnet ! gémit-elle.

Mais ils eurent beau s'y mettre à trois pour chercher, jusqu'à ce qu'ils soient entièrement trempés, ils ne parvinrent pas à le retrouver.

# CHAPITRE 20
## *Après l'orage*

– Oh, non ! Goldman ! J'ai laissé la fenêtre ouverte.

Tommy fit volte-face et, avec un bref salut de la main, partit en courant vers chez lui, sans éviter les flaques qui se remplissaient déjà sur Harper Avenue. Il savait qu'il ne devrait pas courir dans l'orage, alors que la foudre était si proche, mais il ne supportait pas d'imaginer Goldman en difficulté.

En approchant de la maison Robie, Tommy se souvint de l'homme qui lui avait parlé le vendredi. Il descendit sur la chaussée déserte pour s'éloigner du bâtiment et, sans cesser de courir, jeta un rapide coup d'œil aux fenêtres.

La pluie tombait à verse à présent, et un rideau lisse se déversait de la gouttière devant la porte-fenêtre du côté sud. À travers cet écran tremblotant et flou, il crut voir un homme debout à l'intérieur. Tommy cligna des yeux et scruta plus attentivement, mais sans ralentir. Devrait-il revenir vérifier ?

Non, se dit-il en s'arrêtant dans l'entrée de son immeuble, le souffle court. Si c'était ce type hostile de l'équipe d'ouvriers, il valait mieux rester invisible, comme le photographe de *Fenêtre sur cour*, et observer depuis son poste de vigie.

Son pantalon était trempé. Il mit un moment à extraire de sa poche la clé de l'appartement. Quand il la glissa enfin dans la serrure, il s'aperçut que la porte d'entrée était ouverte.

Bizarre : ou bien il avait oublié de la fermer à clé ce matin, ou bien sa mère était rentrée déjeuner à la maison puis repartie précipitamment. Ça s'était déjà produit. Tommy alluma la lumière et ferma la fenêtre de Goldman. Son poisson apprivoisé avait un regard terrorisé, et ses nageoires frissonnaient.

– Mon pauvre petit ! souffla Tommy en essuyant l'extérieur de son aquarium. Quelle semaine tu as passée ! D'abord un nouveau compagnon d'aquarium, et puis un orage. Tu n'es pas seul avec le trésor, ne t'inquiète pas. On travaille dessus, tous les trois – Petra est dans le coup aussi, maintenant, et je pense qu'elle sera utile. On trouvera ce qu'il vaut.

Goldman avait extrêmement bien enterré la sculpture sous son gravier ; Tommy ne la voyait plus du tout.

– Bien joué, dit-il d'un ton apaisant en enfilant des vêtements secs.

Puis il remarqua son étagère à poissons. Tous ses trésors étaient humides et renversés, et son flet en verre avait perdu une nageoire. Pendant le quart d'heure suivant, il s'appliqua à sécher délicatement ses précieux poissons et à les remettre d'aplomb.

Tout en travaillant, il avait l'étrange impression que quelqu'un l'observait. Il jeta un coup d'œil vers les fenêtres obscures de la maison Robie. Sans balcon ni grand surplomb pour la retenir du côté nord, la pluie dégoulinait en cascade sur les briques et le verre. La vitre de sa fenêtre à lui bouillonnait d'eau, et il avait du mal à voir nettement.

Malgré tout, il pensa au photographe de *Fenêtre sur cour*, qui s'écartait de la lumière pour qu'on ne le repère pas d'en face. Tommy recula vers la porte d'entrée et éteignit le plafonnier. Il vérifia une deuxième fois la serrure, tandis que les ombres de l'orage se resserraient autour de lui.

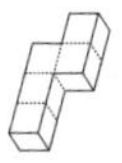

Petra regarda d'un air désespéré par la fenêtre du salon. Les éclairs avaient cessé, mais il pleuvait toujours à verse. Son carnet devait être fichu.

Elle revit Tommy filer, l'air horrifié, quand il avait pensé à Goldman. Ce devait être un gentil garçon pour tenir autant à son poisson rouge. Elle savait qu'il avait perdu beaucoup de choses importantes : son père, un nouveau beau-père, des maisons auxquelles il avait dû être attaché. Et maintenant, il rêvait de vendre sa dernière trouvaille pour aider sa mère.

Ce devait être bizarre de savoir qu'il n'y avait personne chez lui pour fermer les fenêtres. Elle essaya de se représenter ce qu'elle éprouverait à sa place, mais n'y parvint pas. En douze ans et demi, Petra n'avait jamais été seule à la maison.

Quand il cessa de pleuvoir, elle reprit la direction du jardin des Castiglione pour chercher son carnet.

Calder jaillit de chez lui.

– J'ai quelque chose à te montrer !

– Tu veux m'aider à retrouver mon carnet, d'abord ?

Calder hocha la tête et ils entrèrent dans le jardin des Castiglione, en marchant avec précaution. Il y avait des flaques partout ; les fleurs et les plantes étaient encore alourdies d'eau.

Petra repéra une tache bleue dans le jardin voisin ; elle se précipita et récupéra son carnet sous une énorme rhubarbe.

– Je t'ai trouvé ! souffla-t-elle, soulagée.

Elle le tapota sur son short pour le sécher.

Devant la porte de chez Petra, les deux enfants ouvrirent le carnet. Les pages étaient trempées et le texte s'était dissout, formant un paysage de bavures et de taches.

Elle s'assit lourdement, sans même sentir l'humidité.

– J'avais des tas de récits de la voie ferrée là-dedans, y compris l'histoire de l'homme à la cape.

– C'est l'horreur, acquiesça Calder.

Il la comprenait : lui aussi, il se sentait atrocement mal quand ses pentominos s'écroulaient. Soudain, il s'éclaira.

– Hé, c'est peut-être l'homme invisible qui cherche à te faire comprendre que les choses visibles ne le restent pas toujours !

– Mmm... fit Petra – et elle s'efforça de sourire. Tu sais quoi, Calder ? Ça ressemble au carnet que Mrs. Sharpe a trouvé sous le plancher à Nantucket, et qu'elle a remplacé par *L'Homme invisible*.

Elle se demanda si la fiction et la vraie vie étaient des reflets déformés l'une de l'autre. Pendant un moment, elle eut l'impression étourdissante de regarder dans une flaque à l'instant où une vaguelette passe sur le reflet.

Elle referma son carnet, et c'est alors qu'elle vit les griffures : le vent avait dû projeter le carnet par-dessus le grillage qui séparait les jardins.

Les éraflures en zigzag se détachaient nettement : INV. Elle avait beaucoup d'imagination, mais là, ça devenait de la folie.

Elle suivit le tracé des lettres du bout d'un doigt, puis jeta un coup d'œil à Calder, qui avait sorti trois pentominos de sa poche et travaillait à les disposer sur une marche du perron.

Pendant une seconde, Petra eut vraiment peur : Mrs. Sharpe avait raison au sujet de *L'Homme invisible*. Ce livre vous mettait de drôles d'idées dans la tête. Elle regarda ces jardins et ces maisons qu'elle connaissait si bien, autour d'elle, et nota un coup de vent qui agitait la haie près du portail des Castiglione, courbant les branches et les feuilles comme si quelqu'un de grand se faufilait à travers.

– Hé, Petra ! Ce que je voulais te dire, c'est qu'à l'instant, à la maison, j'ai sorti ces pièces : le P, le T et le U, ou C, selon le sens dans lequel on le regarde. C'est nos trois initiales ! J'ai commencé à jouer avec et je me suis rendu compte que j'avais fabriqué un bonhomme... mais sans chercher, comme si cet homme était apparu tout seul.

Petra le vit aussi. Le T avait la tête en bas, le U (ou C) était posé à l'envers dessus, et le P surmontait le tout.

Calder avait fabriqué une silhouette avec la tête de profil, les bras ballants et les pieds écartés, comme un pingouin.

– Tommy + Calder + Petra = un homme. Mais qui ? demanda Calder, la tête penchée.

*Parfois visible et parfois non...* Mrs. Sharpe avait essayé de lui faire comprendre que la frontière entre le réel et l'irréel est parfois difficile à trouver. Ce que disait Calder confirmait cette idée.

Petra le regarda dans les yeux.

– C'est peut-être l'homme invisible.

– Peut-être, dit Calder d'un ton désinvolte, en remettant les pièces dans sa poche – mais Petra le vit jeter un coup d'œil par-dessus son épaule.

Il ajouta d'une voix forte, comme pour s'assurer que tout le monde pouvait l'entendre :

– N'oublie pas de ne pas commencer de nouveau carnet avant que je t'aie fait un code.

Petra acquiesça et le regarda descendre les marches du perron deux par deux, jeter un coup d'œil à gauche et à droite, puis se diriger vers chez lui. Elle resta assise quelques minutes de plus, en suivant des yeux les nuages au-dessus de sa tête, pour profiter de l'air frais brassé par l'orage. Soudain, dans la boue à côté du trottoir, elle remarqua des traces de pas.

Les lourdes empreintes d'un homme aux pieds nus passaient entre, puis *sous* deux voitures garées. Elle était sûre qu'elles n'étaient pas là l'instant d'avant.

# CHAPITRE 21
## *Un nouveau code*

Le lendemain matin, il faisait déjà chaud et brumeux à dix heures.

– Le voici. Discrétion absolue ! annonça fièrement Calder en tapotant le nouveau carnet.

Tommy, Petra et lui étaient attablés dans la boulangerie Medici, une faveur spéciale financée par sa mère.

– J'ai rédigé une phrase ; pas besoin de table pour décoder ça. Vous avez le message sous le nez ; il suffit d'arriver à le voir.

Petra et Tommy examinèrent le texte que Calder avait inscrit en lettres majuscules :

FAU'VTEL'CT P'CVAX, LJ''ZEWMN'PZEV'CFHXET
U'N''T'IPMU'PVOXRW'TFEU UQX'UN'IT CDIEY
W'LN'IPRZEX V'CYEZ FQZ'UXEN
LJ''VEL'CTRN'IZSL FJN'UPSV'TZEL
VAT'UW F'CZAYSU VOL'UZ !

– Je l'ai appelé le code sandwich, précisa Calder. C'est un indice...

– Ouaouh... marmonna Petra.

Elle remua les lèvres en silence pendant un moment.

Tommy se pencha au-dessus de la table, parcourant dans tous les sens le fourbis de lettres.

– Ça n'aurait pas un rapport avec les pentominos ? Qui seraient le pain ?

– Ouaip, répondit Calder avec un sourire. Vous arrivez à le lire, alors ?

Petra leva la tête.

– J'ai repéré les pentominos, mais le coup des apostrophes... murmura Tommy pour lui-même.

Petra ne l'avait jamais vu montrer autre chose qu'un air distrait ou content de lui. Mais à présent, il était entièrement concentré, courbé avec intensité au-dessus de la feuille.

Elle arrêta de chercher et l'observa, fascinée. Soudain, il prit le crayon et écrivit :

YSF'UV'PZELRV C'ITDNEVEF !

Calder se pencha vers Tommy pour lui donner une bourrade ; Tommy lui répondit par un coup de poing.

– Alors ? s'impatienta Petra. Expliquez-moi !

Tommy se dévoua. Calder était aux anges. En voyant ses deux amis discuter avec animation, la tête ronde et brillante de Tommy à côté de la tête brune et bouclée de Petra, il avait envie de sauter de joie.

Enfin, Petra écrivit :

U'PWALRV'FPAX'IZ'TP !

– Quand on ne connaît pas les pentominos, c'est

impossible à décoder, dit-elle avec admiration. Et même si on les connaît, ça reste assez difficile...

– Oh, pour un découvreur, c'est pas si dur que ça ! répliqua Tommy en lui adressant un sourire radieux. Mais pourquoi utiliser à la fois le U et le C ? demanda-t-il à Calder.

Son vieux copain haussa les épaules.

– Il y avait déjà le T de Tommy et le P de Petra. Je voulais ajouter le C de Calder. Et puis je tenais à ce qu'il y en ait treize.

– Une lettre sur deux fait partie du message, et l'apostrophe qui précède certaines lettres sert juste à marquer celles qu'il faut prendre en compte même si ce sont également des pentominos, comprit Petra. Et tu indiques les véritables apostrophes en les dédoublant. Très astucieux !

La porte de la boulangerie s'ouvrit et deux visages familiers apparurent. Tommy referma vivement le carnet.

– Miss Hussey ! s'exclama Petra.

Leur prof portait un short et un débardeur orange, et s'était attaché les cheveux avec un ruban jaune froissé.

– Mr. Dare ! s'écria Calder en regardant les deux adultes l'un après l'autre.

Le maçon boitait, mais il marchait sans canne. Il s'était fait couper les cheveux et paraissait bien plus en forme qu'à l'hôpital – il n'était plus aussi rouge.

– Alors, comment se passe votre première journée de vacances ? leur demanda miss Hussey.

– Bien, répondit le trio Frank Lloyd à l'unisson.

Comme si elle pouvait lire dans leurs esprits la question qu'ils voulaient poser, elle expliqua :

– Henry et moi nous sommes rencontrés le jour de la manifestation.

Elle cligna rapidement des yeux, comme si elle regrettait d'en avoir trop dit.

Mr. Dare se racla la gorge.

– Vous avez fait du bon boulot avec la presse, les enfants. Oui, dit-il ensuite à miss Hussey en regardant posément Calder, c'est lui qui est venu me voir. Je lui ai raconté ma chute.

– Et moi, j'ai discuté avec Mrs. Sharpe après toi, Petra, renchérit miss Hussey, comme si cela expliquait tout. Bien, je suis ravie de vous voir ensemble, tous les trois.

Elle sourit, et ce fut au tour des enfants d'avoir l'air embarrassés.

Mr. Dare partit commander deux cafés à emporter, sans interroger miss Hussey sur ce qu'elle voulait dans le sien. Comment savait-il qu'elle l'aimait avec de la crème et quatre sucres ? s'étonna Petra. Et quel rapport y avait-il entre ce que Mrs. Sharpe lui avait dit et ce que Mr. Dare avait raconté à Calder ?

Calder se demandait si Henry Dare avait répété toute leur conversation à miss Hussey. Tommy se demandait pourquoi elle avait fait cette remarque sur eux trois. Et Petra se demandait toujours pourquoi leur prof et le maçon étaient ensemble.

Quand Mr. Dare revint auprès d'eux, il posa un instant les deux cafés sur leur table. Il étudia la monnaie qu'il avait dans la main : une pièce de vingt-cinq cents, une pièce de dix et une pièce de un.

– Vous voyez ces pièces ? Elles vont disparaître.

Il fit passer la monnaie d'une main à l'autre, et soudain, ses deux paumes furent vides.

– Vous voyez ? Pouf ! Parties.

Il agita les mains en l'air.

– Bon. J'aurai peut-être besoin de ces pièces plus tard...

Il tendit le bras vers Petra et tira la pièce de vingt-cinq cents de son oreille. Puis il tira la pièce de dix de la manche de Tommy et la pièce de un de la poche du T-shirt de Calder.

– Là, vous voyez ; là, vous ne voyez plus, dit-il d'un air ravi.

– Bien, passez de bonnes vacances ! lança miss Hussey.

Mr. Dare les salua d'un geste et la porte de la boulangerie se referma derrière eux.

– Il est drôlement malin, commenta Tommy.

– Un peu trop, même, répliqua Calder, tourné vers la rue.

– Miss Hussey regarde sa montre, remarqua Petra. Ils vont peut-être prendre le train...

Tommy était déjà debout.

– Venez ! Allons voir où ils vont.

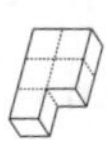

En longeant la 57e Rue, miss Hussey avait l'air détendue, et Mr. Dare la regardait.

Les enfants se glissaient sous les porches et se tapissaient derrière des voitures en stationnement pour les espionner. Ce n'était pas facile de se cacher en plein jour. Ils convinrent, au cas où ils se feraient repérer, d'expliquer qu'ils se rendaient chez Powell.

Devant la librairie, miss Hussey et Mr. Dare se penchèrent au-dessus du carton de livres à donner et en examinèrent plusieurs. Enfin, ils reposèrent le tout et tournèrent dans Harper Avenue, se dirigeant d'un pas déterminé vers la 59e Rue.

Ils bavardaient et riaient ; miss Hussey semblait particulièrement animée. Les enfants marchèrent discrètement sur l'autre trottoir, en faisant mine de flâner pour profiter de l'air matinal, tout simplement.

Quand ils arrivèrent au tunnel qui passait sous la voie ferrée, au bout de la rue, miss Hussey et Mr. Dare avaient disparu.

– Ils ont dû monter sur le quai, dit Calder.

Les trois enfants savaient bien qu'ils n'avaient pas le droit de se rendre en ville sans demander la permission, mais là, il s'agissait clairement d'une circonstance exceptionnelle.

– Est-ce qu'on est sûrs que ce mec ne fait pas juste semblant d'être sympa ? Et si miss Hussey était en danger ?

Tommy n'avait pas oublié l'ouvrier qui l'avait interpellé

devant la maison Robie, le lendemain matin suivant la manifestation.

– Ouais, peut-être qu'il cherche à l'attirer quelque part... Peut-être a-t-il peur qu'elle crée encore des problèmes ?

Petra plongea la main dans sa poche.

– Génial : il me reste encore un peu de l'argent des courses. J'expliquerai ça plus tard à ma mère.

Ils traversèrent précipitamment Harper Avenue, attendirent sous le passage souterrain que le train soit arrivé au-dessus de leurs têtes, puis montèrent l'escalier à toutes jambes et coururent sur le quai jusqu'à la première porte. Une fois dans le wagon, ils furent soulagés de ne pas y trouver l'un des deux adultes.

Tommy sortit de sa poche un sachet pour sandwich rempli de bonbons gélifiés et le fit passer.

– C'est l'heure de la pêche !

Ils en mangèrent chacun un.

À la station Van Buren, où ils étaient descendus pour leur excursion à l'Art Institute avec la classe, plus tôt dans l'année, ils entrevirent une tache orange qui filait dans un escalier. Mais le temps qu'ils quittent leurs sièges et descendent du train, leur prof et le maçon n'étaient nulle part en vue. Tommy parcourut des yeux le wagon derrière le leur et repéra une paire de grosses lunettes noires qui ressemblait beaucoup à celle de l'homme qui lui avait fait peur devant la maison Robie.

– Hé... !

À cet instant, l'homme leva son journal, de sorte qu'on ne voyait plus que le haut de sa casquette de base-ball, et rien d'autre.

– C'est le type qui m'a agressé... s'exclama Tommy.

Mais le temps qu'il termine sa phrase, le train était reparti dans un chuintement.

– ... je crois, conclut-il lamentablement.

Il raconta à Calder et Petra ce qui s'était passé quelques jours plus tôt, sur le chemin du collège.

– Les espions doivent avoir du mal à ne pas s'imaginer des choses, le consola Petra. Quand on commence à se méfier, tout paraît significatif.

Les trois enfants formaient un triangle équilatéral bien net sur le quai. La foule se fendait en deux autour de leur petit groupe.

– Bon, et si on allait à l'Art Institute ? proposa Calder. Telle que je connais miss Hussey, je parie qu'elle emmène Mr. Dare au musée, si elle n'est pas en train de se faire kidnapper.

Petra ajouta :

– Et s'ils ne sont pas là-bas, on pourrait quand même regarder s'il y a quelque chose qui ressemble à ton poisson, Tommy.

– Bonne idée ! l'approuva ce dernier. Si on trouve un truc du même genre, je pourrai apporter la sculpture au musée pour la montrer à un spécialiste.

– Ouais. Tu leur diras que c'est une tante qui te l'a

donnée, suggéra Calder. Et si ça vaut un paquet, peut-être qu'ils l'achèteront !

Les trois amis longèrent Michigan Avenue en direction de l'Art Institute, mais ne virent pas trace de miss Hussey et Mr. Dare. Le soleil de midi se reflétait impitoyablement sur les vitres des gratte-ciel, sur les voitures qui roulaient au pas dans les embouteillages et sur le trottoir sous leurs pieds. Ce fut un soulagement d'entrer dans le musée.

– Hé ! « Art chinois, japonais et coréen » ! lut Calder à haute voix.

Ils se tenaient dans l'entrée d'une galerie agréablement sombre du rez-de-chaussée.

– Allons voir ça.

Petra et Tommy le rejoignirent devant une statue d'un homme musclé, vêtu seulement d'un short et d'un morceau de tissu enroulé autour de la taille. Les cheveux dressés sur la tête, il affichait une hideuse grimace et il avait trois yeux de verre, dont un au milieu du front. Dans la main droite, il brandissait une sorte de bâton qui paraissait très lourd. Les veines de son bras saillaient sous l'effort.

– Dément, commenta Calder.

– *Divinité japonaise de l'Éclair*, lut Petra, inspectant l'étiquette fixée au mur, dans l'ombre, en plissant les yeux. *Douzième siècle*. Et ça dit que l'éclair représente la faculté de la sagesse à infiltrer l'ignorance et à détruire le mal.

Quatre statues montaient la garde dans la salle, chacune dans une cage de verre individuelle. L'une grimaçait

horriblement ; elle avait des yeux rapprochés, des crocs, de grosses joues et une chevelure bouclée qui ressemblait à une perruque.

– *Japon. L'un des cinq seigneurs bouddhistes de la Lumière*, lut encore Petra. Il représente la colère contre le mal. Hé, comme le trio Frank Lloyd !

Elle se tourna vers Tommy et Calder, qui étaient occupés à se faire des grimaces affreuses.

À cet instant, une voix familière se fit entendre ; elle était assourdie, mais ils n'auraient pas pu s'y méprendre.

– Un mystère ? demandait miss Hussey.

# CHAPITRE 22
## *Le poisson de Wright*

– Cachez-vous ! lança Calder tout bas.

Il plongea sur la gauche, dans une pièce remplie de grandes statues en céramique, Tommy courut vers la droite, et Petra droit devant elle.

Dans la salle où se trouvait Calder, un monumental défilé de chevaux, de chameaux et d'hommes musclés piétinaient ce qui ressemblait à des gnomes furieux ; toutes les statues étaient présentées dans des cages en verre qui s'étiraient du plancher au plafond. Il s'accroupit et se glissa de profil dans une alcôve. Une étiquette murale au-dessus de sa tête indiquait : *Pagode bouddhiste, 724 apr. J.-C.* Il additionna les chiffres de la date et obtint 13.

– Des statues de gardiens piétinant les démons ! s'exclama miss Hussey.

– J'en veux une ! dit Mr. Dare.

Calder les apercevait à l'autre bout de la pièce, tournés vers lui. L'avaient-ils repéré ?

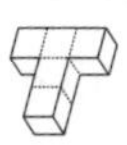

Petra dénicha un recoin sombre derrière un écran de bois et s'assit en serrant ses genoux contre elle. Elle voyait le profil paisible d'une dame élégante en position assise – une statue aussi grande qu'elle. Du côté droit, elle avait trois bras qui s'agitaient dans différentes directions.

– Un secret…

La voix de Mr. Dare venait d'une autre salle, mais laquelle ? Il y avait une porte derrière elle, une autre en face, et deux ou trois autres portes visibles dans la salle suivante. C'était l'endroit idéal pour une partie de cache-cache !

Enfin, elle vit le débardeur orange de miss Hussey évoluer lentement dans une salle où des vases et des bols vert pâle étaient exposés.

– Des tragédies dans cette maison… céleri… disait sa prof en se baissant pour examiner un pot arrondi surmonté d'une tête d'oiseau.

Céleri ? Mais de quoi diable parlaient-ils ? Quand les voix de miss Hussey et de Mr. Dare s'éloignèrent dans la salle suivante, Petra put enfin respirer. Elle regarda autour d'elle. Tommy et Calder n'étaient nulle part en vue.

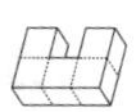

Tommy s'était retrouvé dans une longue galerie avec des gravures encadrées sur le mur. Il s'agenouilla derrière un présentoir vitré. À l'intérieur se trouvait l'une des plus grandes théières qu'il ait jamais vues, d'un superbe rouge orangé avec une poignée noire. C'était exactement le genre de choses que sa mère adorait.

Les gravures représentaient des paysages finement détaillés, avec une foule de personnages qui s'activaient gaiement – traversant des ponts, bavardant, étendant du linge. Une inscription sur le mur expliquait qu'elles étaient d'un artiste japonais nommé Hokusai et mentionnait Frank Lloyd Wright, qui avait conseillé à leur ancien propriétaire de les acheter. Décidément, Wright était partout !

Tommy attendit dans un silence complet pendant un moment qui lui parut très long. Personne n'entra dans cette salle et personne ne passa devant, pas même un gardien. Où étaient tous les visiteurs ? Par une porte lointaine, il voyait un immense bouddha vert assis sur un trône.

La pièce était vaste, carrée, divisée par des vitrines basses contenant un assortiment d'ornements aux couleurs vives. Tommy fit deux pas vers le bouddha, puis entendit des voix et le rire de miss Hussey. Il fit volte-face, courut vers deux portes vitrées qui disaient ENTREZ et s'y engouffra précipitamment.

Il se trouvait dans une forêt de colonnes noires. Une série de tissus peints étaient illuminés à l'autre bout de la pièce. Sur la droite, derrière une vitrine, s'étalait une rangée de pots énormes – certains étaient assez grands pour servir de cachette à un enfant menu. En constatant qu'il était seul dans cette pièce, il poussa un soupir de soulagement. C'est alors qu'il vit miss Hussey tendre la main vers la poignée de la porte.

Tommy se précipita dans un coin, espérant qu'on ne le verrait pas s'il se collait contre le mur. Là, tout au bout d'un couloir qui bordait la salle, il vit une porte affichant PRIVÉ.

Quelle chance !

– Cet espace est incroyable ! s'exclama miss Hussey. Tellement paisible...

– On se croirait dans une caverne, dit Mr. Dare. Rien n'est assez petit ici. Continuons.

*Rien n'est assez petit*... Ils cherchaient donc quelque chose, eux aussi ! Tommy écarquilla les yeux. Il compta jusqu'à dix et jaillit de sa cachette. Miss Hussey et Mr. Dare avaient quitté la salle voisine et se dirigeaient vers une autre. Tommy courut discrètement pour les rejoindre, en se cachant derrière une famille avec cinq enfants. Il se félicitait pour ses talents d'espion professionnel, quand il se cogna l'orteil contre le coin d'une vitrine.

– Ouille ! murmura-t-il – et il donna un coup dans la vitrine avec l'autre pied.

Miss Hussey se retourna en entendant le bruit. Tommy se jeta maladroitement sur le plancher et roula pour se soustraire à sa vue. La famille continua son chemin. Pendant qu'il regardait s'il saignait, on lui tapota le dos.

Calder était accroupi derrière lui, suivi de Petra.

– Ça va ? chuchota celle-ci en se retenant de rire.

Tommy grimaça.

– Très bien, répondit-il tout bas, même si son orteil lui faisait atrocement mal.

Calder se redressa sur ses talons et jeta un coup d'œil à travers la vitrine. Il leva le pouce.

– Ils sont partis.

– D'après ce que disait Mr. Dare, ils cherchaient quelque chose de petit... leur raconta Tommy. Venez !

Ils se faufilèrent tous les trois à la queue leu leu, Tommy boitant derrière Calder, dans une salle remplie d'objets en porcelaine bleu et blanc. Il y avait des poissons et des dragons peints tout autour d'eux.

Le cœur de Tommy se mit à battre la chamade.

La pièce se terminait par une galerie, avec des vitrines sur pieds qui s'alignaient au centre. Les enfants repérèrent leur prof et le maçon devant une exposition murale, et s'approchèrent d'eux sur la pointe des pieds, en se cachant derrière trois cloches gigantesques. Ils ne se souciaient plus de se faire prendre, tout à coup – ils avaient besoin de découvrir ce que Mr. Dare savait, et de s'assurer que miss Hussey était en sécurité.

– Vous vous rappelez que mon arrière-grand-père était le maçon de Frank Lloyd Wright, dit Mr. Dare. Eh bien, Wright est allé au Japon peu avant de construire la maison Robie.

– Oui, en 1905, murmura miss Hussey.

Mr. Dare parut surpris.

– Oh ! Vous avez fait des recherches ?

– Un peu, répondit prudemment la jeune femme.

– Mais il y a un secret que vous ne trouverez dans aucun livre : il paraît que Wright s'est acheté un petit cadeau au Japon – un poisson en jade très ancien qui avait été fabriqué en Chine. Qui sait ? Peut-être qu'il ressemblait comme deux gouttes d'eau aux sculptures qui sont exposées ici.

C'était son talisman, un porte-bonheur qu'il transportait dans sa poche.

» Le Japon a un certain nombre de ses mythes en commun avec la Chine et, apparemment, Wright a découvert une vieille légende chinoise au sujet d'une carpe qui remonte les fleuves, saute par-dessus les chutes d'eau et se transforme en dragon – ce qui était une destinée enviable. Contrairement aux dragons de l'Occident, assoiffés de sang et irrationnels, les dragons asiatiques symbolisent la sagesse et le pouvoir des chefs. Ils représentent la plus haute autorité de toute société ; les empereurs, par exemple, avaient toujours des dragons brodés sur leurs vêtements. Un type ambitieux, ce Wright.

» Bref, d'après mon arrière-grand-père, Wright a gardé ce talisman pendant plusieurs années. Et puis un jour, pendant la construction de la maison Robie, le poisson est tombé de sa poche trouée. L'architecte était sûr de l'avoir égaré au sud de la maison, où les ouvriers creusaient une tranchée. Il était hors de lui et il en a parlé à tous les hommes, leur offrant même une récompense. Pour autant que je sache, la carpe n'a jamais été retrouvée.

Tommy, le cerveau en ébullition, n'osait pas regarder Calder et Petra. « J'ai le poisson de Frank Lloyd Wright ! Je l'ai trouvé, je l'ai trouvé ! »

Petra se souvint du récit de Mrs. Sharpe à propos du talisman perdu et de son allusion à un mystère lié à la maison.

Calder essaya de ne pas réfléchir – il trouvait que ça sentait déjà les ennuis.

– Oh ! dit miss Hussey. Quelle belle histoire !

Mr. Dare continua :

– Et ce n'est pas tout. Quand la maison a été terminée, Wright a confié un autre secret à mon arrière-grand-père : puisque cette carpe, qui symbolisait sa propre transformation de carpe en dragon dans une période difficile de sa vie, demeurerait sur les lieux, il avait caché une trace de lui-même dans le bâtiment, sous la forme d'un code. Ainsi, une part de lui resterait là avec son talisman, pour que son voyage puisse continuer. Il a rigolé en disant que c'était de la superstition, cette précaution, mais mon arrière-grand-père voyait bien qu'il ne plaisantait pas.

– Fabuleux !

Miss Hussey avait une voix bizarre : était-elle excitée ou effrayée ?

– Et où est ce code ?

– À ma connaissance, Wright ne l'a jamais dit à personne. Il a juste mentionné qu'il avait laissé quelque chose d'invisible derrière lui, c'est tout. Pendant les quelques jours que j'ai passés dans la maison, j'ai cherché des initiales, un compartiment caché, un bout de papier enfoui ou une photo, mais je n'ai jamais rien trouvé.

Le trio Frank Lloyd respirait à peine.

D'une voix désormais radieuse et enthousiaste, miss Hussey s'écria :

– Mais il a réussi ! Il a construit la Maison sur la cascade ! C'est un bâtiment extraordinaire que Wright a créé en Pennsylvanie, vingt-cinq ans après la maison Robie, et qui est juché au sommet d'une cataracte. Hé, il est arrivé en haut d'une chute d'eau, il est *vraiment* devenu un dragon ! Son poisson talisman a dû fonctionner. C'est peut-être pour ça qu'il devait absolument sauver la maison Robie, et qu'il l'a sauvée deux fois...

Une série de froissements se fit entendre quand ils se dirigèrent tous les deux vers la sortie. Le silence retomba sur la galerie d'art asiatique.

Tommy prit une longue, une profonde inspiration. Il avait le tournis. Calder et Petra étaient déjà debout et l'entraînèrent vers la vitrine murale.

Devant eux s'étalait un éventail de petits poissons en pierre. Ils étaient tous incurvés, comme celui de Tommy, et l'un d'eux avait une tête de dragon. Nombre d'entre eux avaient le même motif en spirale finement gravé. Ils avaient tous à peu près la même taille que celui de Tommy, peut-être cinq centimètres de long, et ils étaient tous en jade.

Calder donna une grande tape dans le dos de son ami.

– C'est la découverte du siècle, Tommy ! Tu as trouvé quelque chose de si précieux... Tu vas entrer dans *Le Livre des records*, catégorie découvreurs !

Tommy sourit. En tout cas, la sculpture qu'il avait dénichée était une version sublimement détaillée des exemples qu'ils avaient sous les yeux. Comparée à ces autres poissons, sa trouvaille était un petit chef-d'œuvre.

– C'est un rêve qui se réalise, ajouta Petra en examinant l'étiquette murale avec excitation. *Chine, dynastie orientale des Zhou, entre le sixième et le quatrième siècle avant Jésus-Christ.*

Elle se retourna vers Calder et Tommy, les yeux brillants.

– « Avant Jésus-Christ » ! Ça date donc d'il y a plus de deux mille ans !

– Ça doit valoir des millions ! s'exclama Calder. Au moins une maison, peut-être deux. Vous pouvez vous acheter ce que vous voudrez à Hyde Park maintenant, ta mère et toi.

Petra grimaça, comme si on venait de la pincer.

– Qu'est-ce que tu racontes ? Vendre le poisson de Wright permettra de sauver la maison Robie. Ce doit être pour ça qu'on l'a trouvé. Tommy ne peut pas le vendre et garder l'argent ! On vient juste de faire une découverte qui va sauver l'une des plus grandioses œuvres d'art jamais construites...

– « On » ? Comment ça, « on » ? C'est moi qui ai déterré ce poisson ! explosa Tommy, retrouvant sa voix. Et il est à moi.

Soudain, il se rendit compte qu'il était piégé, atrocement piégé – tout ce qu'il avait toujours désiré était en vue, parfaitement accessible, et maintenant il risquait de ne pas l'obtenir. Allait-il perdre la meilleure trouvaille qu'il ait jamais faite, une trouvaille assez grandiose pour compenser tout ce qu'il avait perdu ? À sa grande horreur, il sentit ses yeux s'emplir de larmes.

Pourquoi avait-il accepté de faire partie du trio Frank Lloyd ?

Petra se détourna pendant que Tommy s'essuyait le visage sur son T-shirt. Calder dit doucement :

– T'en fais pas. Moi aussi, ça me rendrait dingue. C'est dur à croire, hein ?

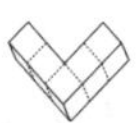

Leur retour en train se fit dans le silence. Ce fut Calder qui suggéra qu'ils prennent chacun le temps de réfléchir, sur le chemin du retour à Hyde Park, et qu'ensuite ils fassent le point dans la cabane. Ils s'installèrent à plusieurs sièges d'écart, formant un triangle irrégulier. Personne n'évoqua les poissons gélifiés.

Tommy essaya de se réjouir de ce qu'il avait soupçonné tout du long : la sculpture était très, très spéciale. Il avait découvert quelque chose d'extraordinaire, quelque chose que d'autres auraient tout donné pour trouver.

Et il savait que Petra avait raison. Vendre le poisson à un musée permettrait probablement de sauver la maison Robie. Les œuvres exposées dans les musées valaient toujours des millions, n'est-ce pas ? C'était vraiment une sorte de miracle. Il pouvait empêcher le meurtre d'une grande œuvre d'art, chose qu'une université entière avait été

incapable de faire. Il voulait sauver la maison, oui. Mais Petra comprenait-elle ce que cela signifiait pour lui, un *vrai* chez-soi ? Probablement pas.

Et sa mère, alors ? Dans sa tête, il l'entendait lui dire d'utiliser l'argent pour sauver la maison menacée. La famille, aimait-elle répéter, c'est être ensemble, pas posséder des choses matérielles ou vivre dans un endroit particulier. Tommy n'était pas certain que ce soit l'entière vérité : bien sûr qu'elle aimerait avoir une maison à elle. Il connaissait bien les rides qui apparaissaient sur son front quand il était temps de déménager vers une nouvelle location, et elle soupirait toujours en voyant des cartons et du gros ruban adhésif.

Qu'est-ce que Mr. Wright lui aurait dit de faire ?

Le garçon songea qu'ils se seraient bien entendus, Frank Lloyd et lui, même si Tommy n'était pas fan des pères qui disparaissent. Wright avait été un dur dans le bon sens du terme : même dans les pires moments de sa vie, il n'avait jamais baissé les bras. En classe, miss Hussey leur avait parlé des trois mariages de Wright et des choses tragiques qui lui étaient arrivées, des choses qui n'étaient pas sa faute. Quatre ans après l'achèvement de la maison Robie, une femme que Wright aimait de tout son cœur avait été brutalement assassinée, avec ses deux jeunes enfants, dans une maison qu'il avait dessinée pour elle. Il était en voyage d'affaires à ce moment-là ; cet épisode avait été atroce, terrible. Ensuite, Wright avait connu des périodes sans travail ni argent, où il semblait totalement oublié du monde. Certains le disaient égoïste et têtu, mais même quand il n'était pas considéré, il s'était accroché à ce à quoi il croyait.

Tommy pensa que Frank Lloyd Wright et lui savaient ce qu'était la détermination, la faculté de parvenir à son but. Cet homme extraordinaire aurait sans doute voulu qu'il vende le poisson, pour continuer sa route et devenir un dragon, un découvreur à succès – un découvreur qui aurait gagné une maison pour lui et sa famille. Le poisson-dragon avait fonctionné pour Wright, et maintenant il fonctionnerait pour Tommy.

Soudain, il eut une idée diabolique. Si personne ne savait où Tommy avait découvert la sculpture, à part le trio Frank Lloyd, il pouvait faire croire qu'elle provenait du Jardin japonais ! À dix minutes à pied de Harper Avenue, ce parc se trouvait sur Wooded Island, une petite île où Tommy et Calder avaient souvent creusé en quête de trésors. Des maîtres artisans japonais y avaient construit un temple extraordinaire plus de cent ans auparavant, à l'occasion d'une exposition universelle qui s'était tenue à Chicago. Le bâtiment n'était plus là, mais le jardin avait subsisté. Des millions de visiteurs étaient venus à Hyde Park pour cette exposition. Quelqu'un aurait pu facilement y perdre le poisson de jade.

Et après tout, Wright avait gardé bien des secrets de son vivant… Peut-être que les grands hommes ne pouvaient pas révéler tous leurs secrets, du moins pas directement.

Mais Petra et Calder accepteraient-ils de taire le véritable endroit où Tommy avait trouvé le poisson ?

C'est alors qu'il imagina une solution encore meilleure.

# CHAPITRE 23
## *Un mensonge*

En regardant par la fenêtre du train, Petra songea que tout ce qui s'était passé ces deux dernières semaines avait un côté étrange, magique.

Était-ce juste par chance que Tommy avait déterré un poisson de jade d'une valeur inestimable pile au moment où ils en avaient besoin, alors que la sculpture avait passé près d'un siècle sous terre ?

Et était-ce une simple coïncidence qu'elle ait trouvé ces deux exemplaires de *L'Homme invisible* et que Wright ait parlé d'avoir laissé une sorte de code invisible dans la maison Robie ?

Elle avait glissé un des deux livres dans sa poche ce matin, avec l'intention de le montrer à Tommy maintenant qu'ils avaient formé le trio Frank Lloyd. Elle le sortit et, en fermant les yeux, tourna les pages et posa son doigt au hasard. Elle ouvrit les yeux et lut :

TOUS LES HOMMES, MÊME LES PLUS ÉCLAIRÉS, GARDENT UN SOUPÇON DE SUPERSTITION.

Qui était superstitieux ? Frank Lloyd Wright ? Et elle ? Était-ce là ce que le livre lui disait ?

Est-ce que c'était de la superstition, de penser que les coïncidences ne sont pas seulement dues au hasard ?

Calder, lui, c'étaient les codes qu'il avait en tête.

Wright avait laissé une sorte de message crypté dans la maison ; il avait également mentionné quelque chose d'invisible. Calder sentait que la maison était bel et bien une énigme – un puzzle dont on ne pouvait pas séparer les pièces sans en détruire le sens, exactement comme un jeu de pentominos.

Dans son enfance, Wright avait joué avec des outils mathématiques appelés les cubes de Fröbel. Miss Hussey leur en avait expliqué le principe et leur avait montré des photos. Certaines pièces ressemblaient à des pentominos. Wright avait déclaré que ce jeu de construction, qui l'avait passionné quand il était petit, avait changé sa façon de penser et contribué à faire de lui l'architecte qu'il était devenu. Il avait également écrit qu'il avait toujours adoré « inventer le langage » de ses fameuses vitres d'art.

Calder admirait la simplicité de cette formule et l'avait retenue. Il avait même demandé à miss Hussey s'il pouvait essayer d'écrire avec des formes au lieu de mots, et elle avait dit oui, du moment qu'il communiquait. Avec enthousiasme, il avait tracé des rangées et des colonnes de triangles, de quadrilatères, de pentagones et d'hexagones, mais il n'était pas allé plus loin. L'idée était plus intéressante que sa mise en pratique.

Le code de Wright pouvait-il être constitué de motifs

répétés ? Un nombre particulier de formes géométriques dans un ordre spécifique correspondait-il à des lettres de l'alphabet ? Ou bien le code était-il imprimé d'une façon ou d'une autre dans le briquetage ?

Et que penser de cette histoire selon laquelle Wright avait laissé une part invisible de lui-même dans la maison ? Petra devait y penser aussi, devina Calder.

Quant à Tommy... Calder savait que lui, au contraire, pensait à la possibilité de devenir un enfant très visible, habitant un chez-lui bien visible.

Aucun des trois n'était pressé de retrouver les autres dans la cabane.

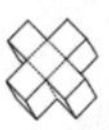

Ils grimpèrent l'échelle en silence, Tommy en tête et Petra en dernier. Tommy sortit le sachet de poissons gélifiés et le posa sur le plancher de la cabane.

– C'est l'heure de la pêche ! dit Calder en s'efforçant de paraître joyeux.

Chacun prit un bonbon, mais personne ne sourit.

Petra s'adossa contre un mur et ouvrit son carnet. Il n'y avait pas un bruit à part le cliquetis des pentominos de Calder, le roucoulement occasionnel des tourterelles et le bruissement des feuilles. Ils remarquèrent à peine les petits craquements de brindilles venant de la branche qui s'étirait au-dessus de la voie ferrée.

Tommy se racla la gorge.

– J'ai menti, annonça-t-il en affectant un air sincère.

Calder et Petra le regardèrent avec stupeur.

– J'ai dit à Calder que j'avais trouvé le poisson dans le jardin de la maison Robie parce que je pensais le raconter à la classe. Je voulais que les autres me remarquent et me trouvent courageux d'avoir fait ça. Mais je ne l'ai pas trouvé là-bas, donc ce n'est pas le poisson de Wright.

– Alors il vient d'où ? demanda Calder, en essayant de masquer sa surprise.

Il n'avait pas le souvenir que Tommy ait jamais menti au sujet d'une chose importante – pas à son plus vieil ami. C'était mauvais, ça.

– Du jardin japonais, répondit Tommy – et il se mordit l'ongle du pouce de toutes ses forces.

– QUOI ? fit Petra. Pourquoi tu ne nous l'as pas dit plus tôt ?

Tommy haussa les épaules.

– Je pensais que ça ne faisait pas vraiment de différence.

Petra avait une tache rouge foncé sur chaque joue. Elle semblait au bord des larmes. « Quelle drôle de journée ! » songea Calder.

La jeune fille referma son carnet.

– Mais tu peux toujours sauver la maison Robie avec ce poisson, même si ce n'est pas celui de Wright. Il vaut quand même beaucoup d'argent, peut-être une fortune. Tu serais un héros ! Et on ne répétera jamais ta première version des faits.

– À mon avis, c'est pas ça que Wright aurait aimé que je fasse, marmonna Tommy.

– Qu'est-ce que tu veux dire ?

Petra poursuivit d'une voix qui devenait stridente :

– Il tenait plus à cette maison qu'à toutes ses autres constructions ; il l'a sauvée deux fois, *deux* fois, dont une juste avant sa mort, et maintenant on peut la sauver une troisième fois. Nous, le trio Frank Lloyd !

– Mais...

Calder mélangeait ses pentominos sur le plancher de la cabane.

– ... si miss Hussey a raison, peut-être qu'il a sauvé la maison à cause de l'histoire de la carpe-dragon : parce qu'il avait perdu son talisman, et pas tellement pour la maison elle-même. Et une fois qu'il a réussi, une fois qu'il est devenu un dragon... Non, c'est absurde. Même archi célèbre, il a continué à la protéger, pas vrai ?

– C'était pour la maison elle-même ! lança Petra, en criant presque. Bien sûr que c'était pour la maison !

Elle se tourna vers Tommy.

– Et toi, tu veux vendre le poisson, garder l'argent, vivre dans une super baraque et laisser la maison Robie se faire assassiner ? Tu es... Tu es... minable, termina-t-elle.

Tommy croisa les bras et afficha une moue dégoûtée.

– Et toi, tu ne sais pas ce que c'est de n'avoir jamais eu de chez-soi, de n'avoir qu'une mère et un poisson rouge pour toute famille, et de perdre *deux* papas.

La voix de Tommy trembla sur le « deux ».

Il continua :

– Wright est mort. Moi, je suis vivant. Est-ce qu'une vieille baraque est plus importante que ma famille ?

Petra regarda Tommy avec une expression radoucie.

– Non… souffla-t-elle.

– Je comprends que tu veuilles avoir une maison à toi, intervint Calder, tu as eu ton lot de déménagements difficiles, mais… tu crois que ta mère te laisserait garder l'argent de ce poisson ?

– Elle n'est pas obligée de savoir que cet argent aurait pu sauver la maison Robie ! répliqua Tommy. Après tout, c'est juste une coïncidence, qu'on ait entendu l'histoire du talisman de Wright au moment où j'ai trouvé le poisson.

– Mais tu ne te sentirais pas mal de cacher un truc si important ? demanda Petra. Tu ne t'en voudras pas quand les premières tronçonneuses attaqueront la maison Robie ? Quand tu seras obligé de voir ça depuis ta fenêtre, en sachant que tu aurais pu la sauver ?

Les trois enfants restèrent muets, visualisant le verre scintillant des vitraux et l'allure attirante, labyrinthique de la maison.

Tommy se prit la tête à deux mains.

– Laissez-moi y réfléchir, dit-il.

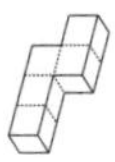

Dix minutes plus tard, Tommy glissa sa clé dans la porte de chez lui. À sa grande surprise, il la trouva de nouveau ouverte.

Il savait que sa mère ne rentrerait pas avant une heure et se rappela soudain qu'il avait oublié de lui raconter qu'il avait trouvé la porte ouverte la veille. Heureusement que Hyde Park était un quartier sûr !

Quand il entra chez lui, il faillit avoir une crise cardiaque.

# CHAPITRE 24
## *Horreur*

L'appartement était un cauchemar. On avait jeté des vêtements partout, des assiettes cassées jonchaient le sol et le rebord de la fenêtre était vide.

Goldman ! Tommy traversa la pièce en courant, écrasant du verre pilé, et hoqueta d'horreur. Les algues et le gravier étaient éparpillés partout, mais où était Goldman ? Le garçon se mit à quatre pattes.

Son poisson apprivoisé gisait, haletant, dans quelques centimètres d'eau subsistant miraculeusement dans un éclat de l'aquarium qui avait volé sous le lit. Tommy, tremblant, tira délicatement le bout de verre à lui et Goldman, paniqué, sortit d'un bond de sa minuscule réserve d'eau. Tommy essaya de le remettre dedans, mais Goldman était trop perturbé pour rester tranquille.

Le garçon fonça dans la cuisine, s'empara d'un récipient de plastique, versa de l'eau minérale dedans et revint à toute allure. Il sentit un bout de verre s'enfoncer profondément dans son genou quand il se ragenouilla, et souleva tendrement Goldman pour le relâcher dans le récipient.

Son poisson resta à la surface, flottant sur le côté.

– Oh, Goldman ! S'il te plaît ! Tu peux y arriver ! Tu es résistant, murmura Tommy.

Il savait que si Goldman mourait, une partie de lui mourrait aussi.

Soudain, le poisson se ressaisit et plongea rapidement dans le récipient, comme pour le visiter. Tommy poussa un cri de joie.

Il prit le plus grand saladier qu'il trouva, le remplit de ce qui restait d'eau minérale et y transféra soigneusement Goldman. Le saladier était vide, ce qui n'était pas très marrant pour son poisson...

*Le saladier était vide !*

Tommy fouilla frénétiquement le bazar étalé sur le plancher. Il retourna les restes humides de sa collection de poissons, regarda sous les oreillers et derrière les livres ouverts... À présent, le sang coulait à flots le long de sa jambe, mais il ne le remarqua même pas. Le poisson de jade avait-il pu glisser sous le lit ? Non... Tomber entre deux morceaux de porcelaine ? Non plus. C'était bien vrai : sa trouvaille, la découverte de toute une vie, avait disparu.

Quelqu'un savait qu'il la détenait. Quelqu'un était venu la chercher. Qui cela pouvait-il être ?

Pas Calder ni Petra... Et c'était fou d'imaginer miss Hussey saccager son appartement pour trouver le poisson. Mais Mr. Dare...

Il avait abandonné le chantier à cause de sa chute, mais il avait pu garder de bons rapports avec les autres membres de l'équipe. Leur avait-il raconté l'histoire du talisman de Wright ? Tommy se rappela l'homme aux lunettes noires.

Puis il eut une pensée angoissante : seule une personne postée du côté sud de la maison Robie aurait pu le voir gratter sa trouvaille pour en enlever la terre, se redresser d'un bond et quitter le jardin en courant pour regagner son appartement.

À cet instant, il entendit la poignée tourner en grinçant, et s'aperçut qu'il était trop tard pour faire quoi que ce soit, à part attraper de quoi se défendre. Il ramassa un grand croissant de verre qui pouvait devenir une arme mortelle.

CEUX QUI
DISENT QUE
SHERLOCK
HOLMES
EST LE
MEILLEUR
DÉTECTIVE
DU MONDE...

# ENOLA Holmes

# CHAPITRE 25

## *Dans les cartons*

Le visage de Zelda Segovia apparut sur le seuil. Sa bouche s'ouvrit lentement pour former un O. Tommy n'avait jamais, jamais été si heureux de la voir.

Il se précipita vers elle et lui sauta au cou.

– Que s'est-il passé ? Ça va ? lui demanda sa mère en lâchant le sac de courses par terre, ajoutant une bouteille de lait brisée au désordre.

– On a... On a été... c-cambriolés ! bafouilla Tommy, les mots coincés dans la bouche.

Ils restèrent au milieu de la flaque de lait pendant que sa mère le serrait dans ses bras.

– Oh, Dieu merci, tu n'as rien ! Tout ça n'a aucune importance. Je suis tellement soulagée que tu sois entier !

Tommy éprouva un pincement douloureux quand elle lui assura que tout ça n'avait aucune importance. Il ne savait pas comment lui parler du poisson de jade qui avait disparu, après avoir gardé le secret si longtemps. Il avait besoin d'un moment pour réfléchir. Il était au moins sûr d'une chose : il devait prévenir Calder et Petra. Et sur-le-champ.

Sa mère déclara à la police qu'il ne manquait rien de précieux – c'était à vous rendre malade de l'entendre dire ça, mais bien sûr, ce n'était pas sa faute à elle. Pendant qu'elle parlait avec les deux détectives venus relever les empreintes dans l'appartement, Tommy gagna la cuisine et téléphona rapidement à Calder, en faisant semblant de s'adresser à Goldman. Il lui annonça la nouvelle à voix basse.

Calder n'arrêtait pas de répéter « Quoi ? Quoi ? » et semblait aussi ahuri que lui.

– Appelle Petra, lui dit Tommy avant de raccrocher.

Quand sa coupure au genou eut été désinfectée et couverte d'un pansement, le serrurier vint changer la serrure et ajouter un lourd verrou sur la porte.

Tommy et sa mère ramassèrent la porcelaine brisée et nettoyèrent le plancher. Dans l'après-midi, ils se rendirent à l'animalerie pour acheter à Goldman un nouvel aquarium, une sphère parfaite en verre d'un vert pâle, comme la mer.

– Il est plus chouette que l'ancien, dit Tommy à Goldman pendant que son poisson explorait sa nouvelle maison.

Le gravier du fond était multicolore, cette fois-ci, et Tommy avait planté une nouvelle poignée d'algues à côté du pont rouge qu'il avait choisi à l'animalerie. Par mesure de sécurité, il avait ajouté sur le pont un minuscule requin en onyx, une des rares pièces de sa collection qui n'avaient pas été réduites en miettes. Maintenant, Goldman avait un garde du corps.

Quand le poisson fut installé, la mère de Tommy s'immobilisa dans la cuisine avec les mains sur les hanches, en regardant le placard vide. Toutes les assiettes et tous les verres avaient été brisés, jusqu'au dernier.

– Heureusement que je garde les pots de confiture ! dit-elle gaiement. Et heureusement que nous n'avions pas encore déballé tous les cartons...

Avec l'aide de Tommy, elle sortit les dernières boîtes du placard de sa chambre et ils rassemblèrent une pile de vaisselle dépareillée.

– Ça me fait plaisir de les revoir, dit Tommy. Je les connais tellement bien.

– Je sais, tu n'as jamais aimé le changement. Monsieur Garde-Tout ! répondit tendrement sa mère.

Tommy regardait ses jouets de bébé préférés et ses vieux albums cartonnés. Puis il sortit un objet qu'il ne connaissait pas : une boîte en plastique avec deux récepteurs à côté.

– Hé, c'est quoi, ça ?

Sa mère s'esclaffa.

– Ton vieil interphone de bébé. Ton père et moi, on louait une maison gigantesque à l'époque de ta naissance. On place l'émetteur dans la chambre du bébé et les parents gardent le récepteur ; comme ça, on peut entendre ses moindres gémissements – c'est assez impressionnant, à vrai dire. Je n'ai jamais pu me résoudre à me débarrasser de cet appareil, surtout après la mort de ton père.

Il y eut un bref silence.

– Il serait tellement fier que tu sois un découvreur... C'est vraiment dommage que tant de pièces de ta collection de poissons aient été détruites, aujourd'hui.

– Mmm, l'approuva Tommy. Mais je n'abandonnerai pas.

VIEUX JOUETS
etc.

– Bravo, je te reconnais bien là ! dit sa mère en lui frottant le dos.

– Je peux prendre ça ? demanda-t-il en brandissant l'interphone pour bébé.

– Bien sûr, répondit Zelda en refermant les cartons. Viens. Allons mettre ça dans la cuisine, et puis nous sortirons dîner dehors. On a besoin d'une petite consolation. Si on allait à Chinatown ?

# CHAPITRE 26
## *Une voix d'enfant*

Calder téléphona en fin d'après-midi. Petra venait juste d'écrire dans son carnet :

POL'NY CEPSZ'TU U'CZEPRN'TFAL'IW'NVSY
PQC'UXEZ C'LIEP
T'PYOZ'IXSISVOX'NU CEVSP'TY YDLEZ
FGIRLAY'NTDZEX W'VTAZ'LNEW'UZRI.
Y'PYOZ'UWRXQL'UZOL'IF TMY'IZSYSW
LHN'UPSUSCEZ'YU VEL'TY IMURT
LDFATRUEW FOU'NV'TI P'VL'ITSC'IZ'TNEW
C'LIAW FGIAN'LPEWRX'IYEL
TD"PAURN'TZ WAVSN'IVAF'TL'IPQT'UXEZ ?
F'C"VEUSI'TF Z'LFOW'UV'CPHWEX.

Elle l'écouta en silence, essayant d'assimiler la terrible nouvelle du cambriolage. C'était vraiment l'horreur : Goldman avait failli mourir, la collection de poissons de Tommy avait été presque entièrement détruite, et puis on lui avait volé son trésor – pile au moment où il avait appris que c'était bel et bien une découverte extraordinaire. Tommy aurait sans doute changé d'avis et fait ce qu'il fallait, en vendant le poisson afin de sauver la maison Robie… mais cela n'avait plus d'importance maintenant.

Quel cauchemar ! Ils étaient arrivés si près du but !

C'était affreux, et angoissant. Le voleur s'était-il introduit chez Tommy pour voler le poisson, ou l'avait-il embarqué sans savoir ce que c'était ?

Tommy avait dit à Calder que Petra et lui ne devaient pas parler de la sculpture de jade à leurs parents. C'était encore trop tôt. Il voulait que sa mère soit la première à être informée. Et il avait ajouté que la suite était entre les mains du trio Frank Lloyd.

Petra était contente de l'entendre. Mais pouvaient-ils récupérer le poisson eux-mêmes ? Cette perspective était effrayante.

Son lit n'était pas loin de sa fenêtre ; elle regarda dehors, en admirant la lumière lavande. D'habitude, elle adorait cette heure de la journée, à cette époque de l'année – le chant des criquets et des rainettes, le ciel paisible et la façon dont les ombres se fondaient dans la riche obscurité qui s'épanouissait derrière les maisons et sous les arbres. C'étaient des soirées de contes de fées.

Mais pas ce soir.

Quelque chose ne tournait pas rond dans ce tableau, pas rond du tout. Petra le sentait. Pour commencer, il y avait trop de coïncidences.

Elle essaya de les dissocier. En vain. Elle décida de tout mettre par écrit. Abandonnant le code, elle s'assit le dos contre le mur, calée entre deux oreillers. Voilà : comme ça, aucun homme invisible ne pourrait lire par-dessus son épaule, et tant pis si quelqu'un trouvait son carnet.

1. L'homme invisible : j'ai l'impression qu'il existe vraiment. J'ai trouvé deux exemplaires du roman et Mrs. Sharpe l'a mentionné. D'autre part, quelle chose invisible Wright a-t-il laissée derrière lui ?
2. Les trois : la maison avait l'air de me dire « trois » au moment même où Calder construisait quelque chose avec trois pentominos. Calder n'a pas cessé de piocher le F, le L et le W dans son jeu... Le C, le P et le T composent une silhouette d'homme. Il y a un homme quelque part. Mais comment peut-il être invisible ?
3. Les poissons : pourquoi Tommy a-t-il trouvé un poisson qui ressemble tellement au talisman de Frank Lloyd Wright, mais dans le jardin japonais ? Ça n'a rien de si étonnant, à cet endroit, mais comment cela a-t-il pu se produire au moment idéal pour la maison Robie ? Un hasard ?
4. L'Art Institute : pourquoi Mr. Dare a-t-il emmené miss Hussey regarder des petits objets d'art asiatique et pourquoi lui a-t-il raconté l'histoire du talisman ? Sait-il que Tommy a trouvé quelque chose ? Et elle, est-ce qu'elle le sait ?

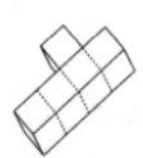

Pour une fois, écrire ne lui semblait pas éclaircir quoi que ce soit. Si seulement la maison elle-même pouvait parler... Elle pourrait dire aux enfants qui s'était introduit dans l'appartement des Segovia. Elle pourrait leur dire ce que Wright aurait voulu que Tommy fasse avec ce poisson de jade. Elle pourrait les aider.

Petra ferma les yeux et des images de la maison au cours du siècle qu'elle avait traversé défilèrent dans sa tête. La maison dans la couleur lavande du crépuscule... dans la lumière verte des orages... dans la neige amoncelée sur les auvents et les balcons... avec trois familles successives qui l'avaient adorée, trois familles qui avaient ri et pleuré...

*Que voudrais-tu qu'on fasse ?* lui demanda-t-elle dans une question muette.

Une petite voix claire, enfantine résonna dans sa tête : *Cette maison, c'est moi ; elle est à moi, et si elle est démantelée, je serai détruit aussi. Je ne fais qu'un avec chaque pièce, et je me déplace avec la lumière. Je suis triste et joyeux, dangereux et joueur, puissant et fragile. Si tu me fais assez confiance pour écouter mon message, je parlerai.*

Son esprit lui jouait-il des tours ? Avait-elle inventé tout ça ? Non, certainement pas ! Elle avait entendu une voix qui n'était pas la sienne, qui venait du dehors. *J'écoute*, répondit-elle. *J'écoute !*

Mais il n'y eut que le silence.

Petra ouvrit les yeux.

Que venait-il de se passer ? Peu importait qu'elle le comprenne ou non. À présent, elle avait une conviction profonde : il y avait quelque chose de vivant dans ce bâtiment.

# CHAPITRE 27
## *Un triangle d'or*

Attablés dans le *Moon Palace*, Tommy et sa mère regardaient trois carpes géantes nager dans un aquarium aussi grand qu'une baignoire, à côté de l'entrée. Zelda Segovia avait eu raison : c'était un soulagement de sortir de l'appartement ce soir.

– Je me demande si Goldman va beaucoup grandir, dit Tommy d'une voix songeuse.

– Tu auras un bassin rempli de carpes quand tu seras riche et célèbre ? lui demanda sa mère avec un sourire.

– Certainement.

Puis ils discutèrent de ce qu'ils pourraient avoir envie de faire cet été : aller voir les autres maisons que Frank Lloyd Wright avait construites à Chicago, louer des films... Après des pâtés impériaux et du poulet à l'orange avec des brocolis et des haricots mange-tout, Tommy ouvrit le sachet de son biscuit chinois et lut le message qui l'accompagnait :

*N'abandonne pas.*
*On peut accomplir beaucoup de travail dans l'ombre.*

Hein ? Il fourra le bout de papier dans sa poche.

– Et le tien, qu'est-ce qu'il dit, maman ? demanda-t-il, voyant que sa mère croquait son biscuit en fronçant les sourcils.

– Un truc du genre : « Méfiez-vous de vos voisins qui

ferment leurs stores »...

– Il n'y a pas de stores dans la maison Robie, répliqua vivement Tommy. Seulement dans *Fenêtre sur cour*.

– Exact.

Sa mère lui tapota l'épaule.

Quand ils sortirent du restaurant, Tommy eut un choc : il vit l'homme aux lunettes noires se précipiter dans un magasin d'antiquités, de l'autre côté de la rue.

Il l'avait déjà vu dans le train ce matin ! Que faisait-il ici maintenant, ce type ? Le suivait-il ? Tommy n'avait pas oublié ses paroles menaçantes : « Je ne serais pas trop fier si j'étais toi. » Était-ce possible que ce soit lui, le cambrioleur ? Avait-il le poisson de Tommy ?

Le garçon fit revenir sa mère dans le *Moon Palace* et inspecta la rue devant le restaurant à travers l'aquarium.

– Mais enfin, qu'est-ce... ? commença-t-elle.

– C'est un type qui travaille à la maison Robie. Il ne m'aime pas, et je crois qu'il magouille quelque chose.

– Quoi ? De quoi tu parles ?

Zelda Segovia avait une voix tendue, inquiète.

– Eh bien, je crois que ce type essaie de nous faire peur, à mes copains et moi, pour qu'on ne tente pas de sauver la maison. Tu te rappelles, il y a eu plein d'articles dans le journal à propos de notre manif, et un groupe de gens importants vont bientôt la visiter, notamment le maire. Cet ouvrier veut sans doute s'assurer qu'on ne viendra pas causer d'autres ennuis.

Le cerveau de Tommy marchait à cent à l'heure.

– C'est peut-être lui qui a saccagé notre appartement, en espérant nous pousser à déménager. Après tout, Goldman et moi, on a un poste d'observation privilégié.

– Ça, c'est vrai... admit sa mère. Mais pourquoi aurait-il peur d'une bande de gamins ? Et pourquoi s'en serait-il pris à nous ?

– Euh...

– Tu es allé fureter autour de la maison Robie ?

– Pas vraiment...

– Tommy Segovia ! gronda sa mère d'une voix sévère. Je t'interdis de t'approcher de cette maison, tu m'entends ? Peut-être que ce type est fou ou déteste les enfants, tout simplement.

Tommy hocha la tête. Mais quand ils passèrent la porte, il mémorisa le nom de la boutique. *Antiquités Soo Long.*

Il se demanda si l'homme les avait suivis depuis Hyde Park et s'était montré juste pour l'effrayer et le détourner de la piste.

Eh bien, ce type découvrirait que ce n'était pas si facile. Les carpes qui deviennent des dragons nagent à contre-courant, se rappela Tommy. Si Wright en était capable, lui en était capable aussi.

La difficulté, ce serait de se rappeler quoi dire à qui : Calder et Petra connaissaient une partie de l'histoire et, maintenant, sa mère en connaissait une autre. Il ignorait à quel point miss Hussey et Mr. Dare étaient renseignés.

Goldman, témoin et confident, était probablement celui qui en savait le plus.

Son poisson l'aiderait à manœuvrer.

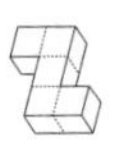

La température monta ce soir-là. Quand Tommy éteignit sa lampe, il faisait plus de trente degrés. Il avait insisté pour laisser Goldman et son lit près de la fenêtre, alors sa mère avait acheté des stores à la quincaillerie et les avait installés le soir même.

– Je me fiche de la chaleur et de la prédiction de mon biscuit chinois, déclara-t-elle. Pas question que quiconque regarde par nos fenêtres.

Dès que sa mère lui eut souhaité bonne nuit, Tommy remonta discrètement son store. Redressé sur ses coudes, il scruta la maison Robie.

Il lui envoya un message muet : *Parle-moi, dis-moi qui a le poisson. Si seulement tu pouvais parler !*

Une mouette solitaire criailla dans le ciel. Deux personnes passèrent dans Woodlawn Avenue, leurs talons cliquetant gaiement sur le trottoir. La lune émergea de derrière un nuage et baigna les vitraux féeriques de Wright d'une lumière scintillante. La nuit, les triangles avaient toujours l'air de ressortir. Tommy se demanda quel genre de code l'architecte avait pu laisser derrière lui. « Sûrement pas le code sandwich ! » songea-t-il avec un sourire. Si seulement

Calder, Petra et lui pouvaient se faufiler à l'intérieur pour jeter un coup d'œil...

À cet instant, il vit quelque chose bouger dans l'ombre, à côté de la maison. Un chien ? Il se décala par rapport à l'aquarium de Goldman pour mieux voir.

Il distingua deux silhouettes vêtues d'habits sombres, puis les entendit chuchoter. Les deux individus restèrent accroupis dans les buissons, invisibles depuis la rue, jusqu'à ce que tout soit absolument silencieux : pas de voitures à l'approche, pas de bruits de passants. Ensuite, l'un des deux tira une échelle de l'endroit où ils se cachaient et la plaça adroitement, juste à la bonne hauteur, sous une fenêtre du premier étage.

En poussant doucement l'aquarium de côté, Tommy heurta deux piles électriques posées sur le rebord de sa fenêtre qui tombèrent sur le parquet avec un vilain fracas métallique. Les individus s'immobilisèrent et se tournèrent vers son immeuble.

Ignorant ce qu'ils pouvaient voir, Tommy se recoucha vivement. Un instant plus tard, le rayon d'une lampe torche balaya sa fenêtre, s'arrêtant un instant sur l'aquarium de Goldman. Dans la lumière, Tommy se rendit compte que l'eau remuait toujours dans le globe en verre.

– Ne bouge pas ! chuchota-t-il à Goldman.

Il compta jusqu'à cinquante, puis hasarda prudemment un nouveau coup d'œil dehors. L'échelle était reposée par terre et les deux individus s'étaient volatilisés.

Étaient-ils dans la maison ?

Il se redressa pour caler le menton sur le rebord de sa fenêtre et attendit, aux aguets. Il entendait des cliquetis et des grattements étouffés, mais il ne vit pas de lumière derrière les fenêtres sombres.

Que disait la prédiction de son biscuit chinois, déjà ? Un truc à propos de ne pas laisser tomber, et de travailler dans l'ombre. Le cœur battant, il se glissa hors de son lit et attrapa un short et un T-shirt. Sa mère avait une respiration profonde et régulière : elle ne se réveillerait pas.

La nouvelle serrure de la porte d'entrée ne faisait pas de bruit ; Tommy l'ouvrit avec délicatesse, très lentement. Dans la lumière rouge d'une lampe de secours, il descendit l'escalier pieds nus, à pas de loup. Devant la porte d'entrée de l'immeuble, l'air semblait sucré et lourd, et un silence inquiétant régnait dans la rue.

Il tourna discrètement au coin, en se baissant le plus possible. Quand il arriva sous sa fenêtre, il s'allongea dans un massif de fleurs et attendit.

Personne. Le temps n'était marqué que par des sirènes lointaines et, à l'occasion, le mouvement d'un nuage devant la lune. La terre était délicieusement fraîche sous son ventre, et il commençait tout juste à se détendre et à s'assoupir, quand un vif éclat de lumière passa derrière les fenêtres de la maison Robie, illuminant l'un des vitraux. Un triangle d'or se détacha sur la surface monochrome. Il disparut presque aussitôt.

Pouvait-il s'agir d'une lampe de poche ? Y avait-il un rôdeur dans la maison ?

Au premier étage, la fenêtre sous laquelle avait été calée l'échelle s'ouvrit lentement. Tommy entendit un sifflement discret et se redressa sur ses coudes, en plissant les yeux pour voir dans le noir.

Soudain, une lourde main lui empoigna l'épaule. Il lâcha un hoquet de stupeur, en se recroquevillant à ce contact, et un flash puissant lui éclaira le visage à deux reprises.

Pendant plusieurs secondes, il resta aveuglé.

Il entendit un bruit de course, mais le temps qu'il retrouve la vue, il n'y avait plus personne dans les parages. Son cœur battait si fort que le garçon était sûr d'être audible à des kilomètres. En levant la tête vers la maison Robie pour vérifier qu'il ne risquait rien s'il tournait le dos pour foncer chez lui, Tommy eut la nette impression que le bâtiment l'observait avec bienveillance à travers l'obscurité, vérifiant qu'il n'était pas blessé.

Une fois dans son appartement, avec la porte bien verrouillée et ses vêtements humides roulés en boule dans un coin, Tommy regarda dehors. La fenêtre du premier étage était fermée, à présent, et la maison silencieuse.

Aveuglé par un flash... Cela se produisait dans *Fenêtre sur cour*, le film de Hitchcock. Mais dans le film, c'était le héros qui actionnait le flash.

Qui l'avait pris en photo, et qu'allait-il faire du cliché ?

# CHAPITRE 28
## *Le jardin japonais*

Le lendemain matin, il faisait un temps clair et lumineux. En beurrant des tartines et en versant du jus d'orange, la mère de Tommy déclara d'un ton guilleret :

– Je n'arrive pas à croire qu'on est le 15 juin. Ça fait seulement deux semaines et un jour que nous sommes rentrés, et il s'est passé tant de choses !

– Ouaip, acquiesça Tommy.

Il jeta un coup d'œil à l'aquarium. Heureusement que Goldman gardait les secrets.

– Je rentrerai tôt, lui promit sa mère. Et je veux t'inscrire au club de sport pour les matins où je travaille. En attendant, jusqu'à la fin de la semaine, ne va nulle part dans le quartier sans être accompagné par un copain. Il y a d'autres enfants qui sont encore là ?

– Bien sûr. J'appellerai Calder.

– Bon. Et n'oublie pas ce que je t'ai dit hier soir. Sois particulièrement prudent. Il y a beaucoup de maisons conçues par Wright, mais je n'ai qu'un seul fils.

Sa mère lui sourit, mais Tommy vit un pli soucieux sous son œil bleu.

Dès qu'elle eut fermé et verrouillé la porte, Tommy décrocha le téléphone.

– Tu veux qu'on se retrouve au jardin japonais pour notre réunion ?

– Pas de problème, répondit Calder.

– J'ai une idée, mais on a besoin d'espace pour l'expérimenter.

– Génial. On y sera en dix minutes.

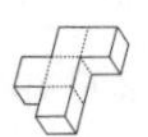

Le trio Frank Lloyd passa sous le viaduc qui enjambait la 59e Rue et se dirigea vers l'arrière du Musée des sciences et de l'industrie. Une fois derrière le musée, ils suivirent un trottoir fissuré vers un pont étroit. Depuis que Tommy leur avait dit qu'il voulait attendre qu'ils soient arrivés dans le jardin pour parler, les trois amis restaient silencieux.

Wooded Island se trouvait au milieu d'un étang du lac Michigan. Au fil des décennies, l'île était devenue un refuge pour des hérons blancs, des familles de canards, des oiseaux chanteurs de toutes les espèces, quelques castors, de vieilles tortues et des promeneurs. Le jardin japonais, petit mais sublime, occupait la pointe sud-est de l'île.

En franchissant son imposant porche en bois, le trio Frank Lloyd fit une pause.

– Quel endroit magique ! commenta Petra.

Les garçons hochèrent la tête.

D'étroits sentiers de graviers rouges serpentaient à droite et à gauche autour d'un petit bassin et partaient vers les berges de l'étang. Des bonsaïs, des arbustes avec des fleurs minuscules, comme des clochettes, un saule pleureur

miniature et un gazon émeraude, tondu à ras, séparaient les deux plans d'eau. Çà et là, des lanternes en pierre et des rochers qui faisaient office de bancs entouraient le bassin intérieur, alimenté par une cascade.

Les trois amis s'avancèrent en file indienne. Le chemin qu'ils avaient choisi les conduisit vers un petit pont arrondi qui enjambait le bras d'eau reliant le bassin et l'étang.

– Il ressemble comme deux gouttes d'eau au nouveau pont de Goldman, dit Tommy. On l'a acheté hier, ma mère et moi.

– Où as-tu trouvé le poisson en jade ? lui demanda Calder.

Une ombre passa sur le visage du garçon ; il tourna rapidement sur lui-même, comme pour s'orienter, puis désigna des arbustes. Le trio s'approcha. Le sol semblait dur à cet endroit.

– J'ai bien rebouché le trou, marmonna Tommy.

– Tu es *sûr* que c'était ici ? insista Calder.

Il avait une voix tendue.

– Évidemment ! s'énerva Tommy. Tu ne me crois pas ?

– Si, dit Calder – mais il n'avait pas l'air convaincu.

Petra se tenait sur un rocher en forme de cœur.

– Regardez dans le bassin : cette île miniature ressemble à un poisson qui agite sa queue en l'air ! Je ne l'avais jamais remarqué avant.

– Sympa, acquiesça Tommy. Hé, les mecs ! Vous voulez voir ce que j'ai apporté et écouter mon idée ?

Les enfants s'approchèrent de la cascade, où ils

pourraient s'asseoir et laisser pendre leurs pieds nus dans l'eau en discutant. Tommy leur raconta ce qui s'était passé la veille au soir : le type aux lunettes noires dans le quartier chinois, les deux silhouettes dans les buissons, l'échelle et les flashs aveuglants. Les deux autres ouvraient des yeux ronds comme des soucoupes ; Tommy se radossa avec satisfaction.

– Quel courage, murmura Petra.

– Quelle chance, dit Calder.

– Pourquoi tu n'as pas réveillé ta mère et appelé la police ? demanda Petra.

Tommy haussa les épaules.

– Je suppose que je ne voulais pas l'inquiéter, et puis j'ai pensé qu'on pourrait peut-être faire du meilleur boulot que la police, à nous trois.

Il ouvrit son sac à dos et en sortit l'interphone pour bébé et les deux récepteurs. Il expliqua son plan : ils s'introduiraient dans la maison Robie à la nuit tombée et y cacheraient l'émetteur. Tommy dormirait avec le récepteur sur son oreiller et, avec un peu de chance, ils pourraient surprendre des conversations.

– Ces types ont peut-être le poisson. Qui sait ? conclut-il. On pourrait en apprendre davantage sur ce qu'ils mijotent.

– Et puis pendant qu'on y sera, on pourra faire un petit tour dans la maison, ajouta Calder en agitant gaiement ses pentominos. Le code que Wright aurait laissé, j'y crois ;

si on arrive à le trouver, ça nous fera peut-être assez de publicité pour sauver la maison, même sans le poisson.

– Mais comment on fait pour entrer ?

Petra avait l'air moins enthousiaste.

– C'est simple : de la même façon que les deux types d'hier soir, répondit Tommy en souriant. À cause des travaux, cette échelle reste tout le temps à côté de la maison. Et hier soir, ils sont arrivés tard, après minuit. Nous, on ira tôt, dès qu'il fera nuit.

– Et les parents ? questionna Calder.

– J'y ai pensé aussi, répliqua fièrement Tommy. On peut leur demander d'aller voir un film à neuf heures au Delia Dell Hall, qui n'est qu'à deux pâtés de maisons de chez moi. Demain soir, on passe *Les Trois Mousquetaires*. Ils ne vont pas nous interdire d'aller voir ça. Ma mère peut nous y accompagner à pied, puis revenir nous chercher. Elle ne saura jamais qu'on n'y est pas restés entre-temps.

Petra frappa dans ses mains.

– Excellent ! C'est un peu inquiétant, mais au moins nous serons trois.

Puis elle leur parla de la voix qu'elle avait entendue dans sa tête la veille, et de ce qu'elle avait dit. Elle leur raconta aussi la mention d'un « soupçon de superstition » dans *L'Homme invisible*.

Ils passèrent la demi-heure suivante aux quatre coins du jardin, à tester l'interphone pour bébé. Avec les nouvelles piles, ils arrivaient à s'entendre murmurer à quinze mètres :

leur système devrait fonctionner sans problème entre l'appartement de Tommy et la maison Robie.

Quand ils se préparèrent à partir, Tommy fit circuler le sachet de poissons gélifiés. Chacun en mangea un. Puis Petra dit :

– Excuse-moi de t'avoir traité de minable hier, Tommy. J'étais bouleversée.

– Et moi, je suis désolé de vous avoir menti, les gars, marmonna Tommy, les yeux baissés.

À cet instant précis, il vit une carpe orange fuser à quelques centimètres de la base de la cascade ; ses nageoires éclatantes ondulaient dans l'eau sombre.

– C'est peut-être un signe, commenta Petra. Cette carpe nous dit de ne pas laisser tomber.

– Ouais, acquiesça Tommy.

Quand ils quittèrent le jardin, il se retourna vers le bassin et crut voir l'île miniature, celle qui était en forme de poisson, soulever très légèrement sa queue.

# CHAPITRE 29
## *Visite de nuit*

Quand Calder, Petra et Tommy partirent pour le cinéma, le lendemain soir, des lucioles émaillaient la pelouse et le jardin de la maison Robie, et le ciel brillait d'une lueur bleu sombre au-dessus des arbres.

La mère de Tommy resta au coin de la rue et les surveilla jusqu'à ce qu'ils soient hors de vue. Après tout, comme Tommy l'avait souligné, cela paraissait idiot qu'elle les accompagne jusqu'à l'entrée du cinéma alors qu'il faisait encore jour. Les trois amis avaient convenu de ne pas regarder la maison Robie, et ils avancèrent en rangée bien droite, remarquant à peine la douceur de cette soirée d'été.

Ils contournèrent le pâté de maisons et remontèrent discrètement la ruelle derrière le bâtiment. Ils filèrent un par un se cacher dans les buissons entre une cabane à outils délabrée et un tas de bois de construction.

Au bout d'une demi-heure, il faisait sombre. Les trois enfants attendirent de ne plus entendre de circulation ou de passants, puis sortirent discrètement de leur cachette.

Pendant que Calder et Petra s'accroupissaient dans l'ombre à côté de la maison Robie, Tommy courut sur le trottoir et regarda des deux côtés. Il leva le pouce. Les deux autres manœuvrèrent l'échelle pour la redresser contre la façade. Tommy revint précipitamment, s'assura qu'elle était stable et commença l'ascension.

Calder et Petra le surveillaient d'un œil anxieux d'en bas. Quand il parvint à la hauteur des fenêtres, Tommy poussa doucement sur la vitre. Rien. Il poussa encore. Toujours rien.

– C'est fermé à clé ! chuchota-t-il.

Il se pencha sur l'échelle pour scruter l'étage sur toute sa longueur. À sa gauche, il repéra une fenêtre qui ne s'alignait pas au même endroit que les autres contre le rebord.

Il descendit hâtivement, déplaça l'échelle de plusieurs mètres le long du bâtiment avec l'aide de ses deux complices et répéta toute l'opération. Pendant qu'il grimpait pour la deuxième fois, ils entendirent des bruits de pas qui s'approchaient dans la rue. Il était trop tard pour se cacher. Les enfants se figèrent.

Les pas dépassèrent la maison ; Calder et Petra se topèrent dans la main sans bruit : pour le moment, tout allait bien.

Tommy était devant la deuxième fenêtre, à présent. Il poussa doucement. Elle s'ouvrit en grinçant, s'écartant vers l'intérieur d'environ quinze centimètres, et s'immobilisa avec un claquement sourd. Le garçon avança prudemment la main à l'intérieur.

Petra était secrètement ravie que ce ne soit pas sa main à elle qui soit en train de fouiller l'obscurité. Tommy tâtonna pendant plusieurs secondes, puis referma délicatement la fenêtre en tirant le battant.

– Il y a une sorte de meuble de rangement qui bloque la fenêtre, murmura-t-il en redescendant.

– Cherchons un autre moyen, répondit Calder à voix basse.

Après avoir remis l'échelle à l'endroit précis où ils l'avaient trouvée, ils longèrent à pas de loup le mur est de la propriété, à côté du garage, et franchirent discrètement le portail. Ils se faufilèrent par une ouverture qui donnait sur le côté sud de la maison et se retrouvèrent dans le jardin, à côté de la terrasse du rez-de-chaussée.

À cet instant, ils entendirent des voix et replongèrent en position assise, le dos contre le mur du jardin. Ce flanc de la maison était plus éclairé que l'arrière, à cause des lampadaires ; ce serait plus difficile de ne pas se faire repérer.

De l'autre côté du mur, les pas s'arrêtèrent et les trois enfants entendirent le cliquetis d'un médaillon en métal et les halètements d'un gros chien.

– Tu imagines les fenêtres du premier étage, la nuit ! Il paraît que c'était magnifique, toutes ces lampes rondes, comme autant de lunes...

Ensuite, ils entendirent le froissement d'un sac en plastique.

– Oui, c'est tellement triste que la maison doive être démolie, renchérit une deuxième personne d'une voix étouffée, en se penchant pour ramasser quelque chose.

Les trois enfants sentirent le quelque chose. Tommy se boucha le nez, et le relâcha quand les promeneurs et leur chien furent partis.

– Je suis content d'avoir un poisson rouge !

Petra gloussa.

– Chut ! En voilà d'autres ! murmura Calder.

Pendant qu'ils attendaient en silence que ces nouveaux passants se soient éloignés, Petra contempla les fenêtres du rez-de-chaussée, qui avait été la salle de jeux des enfants, autrefois, et pensa au fils de Fred Robie dans sa petite voiture, entrant et sortant dans la cour comme un bolide, n'imaginant rien d'autre qu'un présent radieux. Soudain, elle se sentit entraînée par le passage du temps comme par un courant obscur, et se demanda si un jour un inconnu penserait à elle, cette jeune fille avec des lunettes et une chevelure épaisse, accroupie dans ce jardin par une nuit d'été.

– Il paraît qu'il y a des fantômes là-dedans.

C'était une voix de jeune femme qui ressemblait un peu à celle de miss Hussey.

– Ouais, autant qu'à la bibliothèque ! ironisa quelqu'un d'autre. Tu devrais t'atteler à ton mémoire et arrêter de glandouiller.

– Et toi, tu devrais t'occuper de tes affaires ! répliqua la première, tandis que leurs voix s'estompaient dans la distance.

– C'est chouette d'être invisible ! commenta Petra tout bas.

Les trois amis restèrent tapis sans faire de bruit quelques minutes de plus. Calder jeta un coup d'œil vers la terrasse de devant, sur leur gauche, et Tommy examina le balcon du premier étage.

– Je pourrais sans doute entrer par cette porte-fenêtre,

chuchota-t-il.

– Alors allons-y ! dit Calder.

Ils montèrent en file indienne, sur la pointe des pieds, les marches de la terrasse. Trois marches, puis un virage, puis huit de plus... Soudain, Calder eut l'impression d'escalader un W géant, qui tournait à droite devant un T et passait devant un L. Il évoluait dans un monde de pentominos baigné dans l'ombre, un monde de béton et de brique, un monde constitué d'éléments massifs qu'il ne pouvait plus contrôler. « C'est une illusion, causée par l'obscurité, se dit-il fermement, ça ne paraît pas menaçant pendant la journée. Concentre-toi sur ce que tu fais. »

À côté d'eux, il y avait un muret de la même hauteur que la balustrade du balcon du premier étage, mais un trou séparait les deux parapets, un trou qui donnait sur un passage cimenté, en contrebas. La dénivellation devait mesurer au moins quatre mètres.

Tommy grimpa sur le muret.

– C'est trop loin pour sauter, avec un espace si étroit à l'arrivée.

– Et si on utilisait une des planches entreposées à côté de la cabane à outils ? suggéra Calder.

Quelques minutes plus tard, ils avaient rapporté sur la terrasse une planche d'environ trente centimètres de large et deux mètres cinquante de long. Ils la posèrent à plat entre les deux parapets pour faire un pont au-dessus du trou qui séparait la terrasse et le balcon.

– C'est trop dangereux, dit Petra. Ce serait une chute terrible.

– Essayons le toit, proposa Calder. Si l'un de nous monte dessus, on pourra peut-être ouvrir une fenêtre de la chambre.

Après un débat sur les poids et les tailles, Tommy et Petra firent une plate-forme carrée en agrippant chacun les poignets de l'autre. Calder monta dessus, une main sur chaque tête. En se redressant centimètre après centimètre, respirant à peine, il tendit les bras au-dessus de sa tête et empoigna la gouttière de cuivre au bord du toit.

– Je l'ai ! chuchota-t-il.

Il commença à se hisser. Un grognement râpeux de mauvais augure fut suivi par une vibration de métal et un sursaut. Calder regarda vers le bas pour la première fois, et le sol fonça vers lui dans un tourbillon écœurant.

– Ouh là ! hoqueta-t-il en lâchant prise.

Les trois amis s'écroulèrent pêle-mêle sur la terrasse en béton. La chute fut douloureuse. Tommy avait enfoncé un coude dans les côtes de Petra, qui se retrouva allongée sur le genou de quelqu'un. Ils entendirent encore une fois des voix se rapprocher et, dissimulés par le muret de la terrasse, ils se dépêtrèrent en silence. Heureusement qu'il faisait nuit !

– N'est-ce pas une planche là-haut, entre les deux sections de la terrasse ? demanda une femme. On devrait peut-être aller voir...

– Oh ! Tu te rappelles, ils vont la démolir... répondit un

homme. Il doit y avoir toutes sortes d'échafaudages autour.

Les voix s'éloignèrent dans la rue.

– Désolé, dit Calder en soupirant. Au moins la gouttière ne s'est pas entièrement décrochée.

– C'est pas ta faute, le rassura Tommy.

– On devrait peut-être laisser tomber, dit Petra. Il est déjà neuf heures et demie.

Tommy bondit sur le muret de la terrasse. Avant que les deux autres aient le temps de protester, il monta vivement sur la planche et la traversa en courant d'un pas léger, puis sauta sur le sol du balcon, devant la porte-fenêtre.

– Ouaouh ! soufflèrent Calder et Petra, ébahis.

– Lancez-moi mon sac à dos ! chuchota Tommy.

Calder s'exécuta, et quand Tommy l'attrapa, son contenu émit un claquement sonore. Pendant une seconde, Calder eut des regrets : son ami avait-il été trop impulsif ? Quiconque s'était introduit dans la maison Robie la veille n'aurait sans doute aucun scrupule à malmener un gamin, en particulier un gamin isolé transportant du matériel d'écoute.

En regardant Tommy se faufiler dans l'ombre, Petra, angoissée, sentit son estomac se nouer. Avaient-ils suffisamment réfléchi avant d'entreprendre une équipée aussi dangereuse ? La tête ronde de Tommy paraissait petite et vulnérable dans l'obscurité. Qu'est-ce qui leur avait pris d'entrer par effraction dans une maison en ruine où des individus louches s'étaient introduits deux nuits plus tôt ?

En longeant le balcon sur la pointe des pieds, Tommy

essaya chaque poignée de porte. Quand il parvint au bout de la terrasse, il s'arrêta.

Il se mit à genoux. Calder et Petra le regardèrent ôter sa basket.

– Attention ! murmura Calder – mais Tommy ne parut pas l'entendre.

Il poussa doucement le talon de sa chaussure contre l'une des portes, juste en dessous de la poignée. Il appuya plus fort, et sa basket fusa à l'intérieur.

– Ça devait être un endroit rafistolé dans la vitre, chuchota Petra à Calder.

Quand Tommy avança lentement la main dans la pièce sombre, les deux autres s'efforcèrent de ne pas imaginer quelqu'un l'empoigner de l'intérieur. Après une série de grincements et de craquements, la porte-fenêtre s'ouvrit à la volée. Tommy chancela, émit un étrange bruit étranglé et disparut dans la maison.

– Quelqu'un l'a *tiré* ? hoqueta Petra.

Elle se le figura traîné sur le plancher, une grosse main plaquée sur la bouche.

– Allons frapper aux fenêtres de la proue, dit Calder, inquiet. S'il ne vient pas, on n'aura qu'à hurler.

# CHAPITRE 30
## *Le filet*

Tommy n'oublierait jamais ce qu'il éprouva la première fois qu'il posa le pied dans cette maison.

Le salon était vide et le plafond bas. Des triangles et des parallélogrammes noirs et blancs émaillaient les fenêtres de tous les côtés, et la lumière venue de la rue dessinait des ombres hachurées sur le plancher, comme si on avait soigneusement étalé un filet sous ses pieds. Dans un monde incolore, à l'intérieur aussi bien qu'à l'extérieur, la résille des vitraux devenait magnétique, presque dominante.

« Je suis tel un poisson dans un filet, pris au piège. » songea Tommy. Mais au lieu de se sentir prisonnier, il avait le sentiment d'être enveloppé dans un cocon bienveillant. C'était la plus étrange des sensations et, pendant quelques instants, il resta immobile. La maison avait une odeur sèche et vieille qui lui évoquait quelque chose de très ancien. « C'est bizarre, on se sent tellement chez soi ici ! » pensa-t-il.

Entendant frapper doucement sur la vitre à l'autre bout de la pièce, il s'y précipita, pour chercher une fenêtre qui donnait sur la terrasse de devant. Il en trouva une à la proue, la déverrouilla et, après un rapide coup d'œil de chaque côté de la rue, Calder et Petra entrèrent.

– C'est trop génial, non ? dit Tommy. J'adore !

– Merci de nous avoir oubliés, marmonna Calder.

Maintenant qu'elle était à l'intérieur, Petra revoyait dans

sa tête toutes les familles qui avaient habité la maison. Il y avait les enfants Robie, puis les cinq garçons qui aimaient courir. Il y avait la famille avec deux filles ; c'était la dernière maison que l'une des deux avait connue...

La sœur cadette, devenue fille unique, avait continué à vivre ici, et Petra se rappela des photos d'elle déguisée en danseuse espagnole, en elfe, en gnome avec un chapeau pointu. Sur un cliché, elle se tenait à côté de la porte-fenêtre du premier étage dans une robe simple, la moitié du corps dissoute dans une lumière éclatante. Sur toutes ces photos, elle avait une expression mélancolique et ressemblait vraiment à un fantôme.

– Envoûtant, commenta Petra en tournant lentement sur elle-même.

Calder examinait une série de boiseries qui garnissaient le plafond du salon, des grilles faites de longues barres parallèles avec des cubes encastrés au milieu, à intervalles irréguliers.

– On dirait une partition de musique, dit-il d'une voix songeuse. Attendez : ces cubes sont par groupes de trois. Ça pourrait être une sorte de code.

Tommy lui donna vivement un coup de poing dans le bras.

– Venez, on doit trouver une bonne cachette pour cet émetteur !

Les trois amis traversèrent rapidement toute la maison. Ils tournèrent et virèrent, découvrant trois escaliers, et s'aperçurent qu'il était difficile de suivre le fil des endroits où ils étaient passés, et de déterminer la direction vers laquelle ils étaient tournés quand ils regardaient dehors. Ils montaient puis descendaient, partaient à droite puis à gauche : des galeries étroites s'ouvraient sur des pièces spacieuses qui donnaient ensuite sur des passages resserrés. Dans la lueur de la pleine lune, la résille des vitraux de Wright traçait des motifs qui striaient le visage des enfants et qui se reproduisaient nettement sur les murs et les sols nus.

– On se croirait dans une version géante de ce jeu où on fabrique des figures avec de la ficelle entre ses doigts ! s'émerveilla Petra.

– Espérons qu'il n'y ait pas d'autre joueur, marmonna Calder.

Des outils et des tréteaux gisaient çà et là, et des gobelets en carton et autres emballages de fast-food jonchaient la cuisine du premier étage, à l'arrière de la maison. En regardant dehors, Tommy repéra la fenêtre de sa chambre et crut distinguer la courbe à peine visible de l'aquarium de Goldman.

– Parfait, dit-il.

– Hein ? fit Calder.

– Vu tous ces déchets, ils doivent se retrouver ici.

Tommy sortait déjà l'interphone pour bébé de son sac à dos.

Petra ouvrit la porte sous l'évier de la cuisine. Il y eut soudain du remue-ménage et un cri strident. Les trois amis sursautèrent et Petra s'agrippa au bras le plus proche, qui se trouvait être celui de Tommy. En reprenant son équilibre, elle le relâcha rapidement.

– Et sur l'une de ces étagères ? proposa Tommy en grimpant sur une caisse à bouteilles de lait.

Il plaça délicatement l'émetteur entre une pile d'assiettes en carton et une râpe à fromage dégoûtante.

– Très bien, dit Petra en s'éloignant de l'évier.

– Tu es sûr que tu l'as allumé ? demanda Calder à Tommy.

– Ouaip.

Tommy hocha gaiement la tête et alluma le récepteur de poche, qu'il accrocha à sa ceinture.

À cet instant, ils entendirent un pas lent, irrégulier, dans une partie lointaine de la maison. C'était quelqu'un qui marchait, mais avec hésitation. Un, *deux*... Les pas s'arrêtèrent, comme si l'individu tendait l'oreille, puis reprirent. Trois, *quatre*... Le trio Frank Lloyd échangea des regards affolés, osant à peine respirer. Un fantôme ? Toutes les histoires de maisons hantées qu'ils avaient entendues leur revinrent à l'esprit, plus terrifiantes que jamais : pirates, cambrioleurs, assassins, âmes errantes...

Plusieurs secondes de silence complet s'écoulèrent, longues comme des heures. Même la maison semblait retenir son souffle. *Cinq*... Les pas semblaient venir du deuxième étage, assez loin pour que les trois amis puissent encore s'échapper.

– Filons ! siffla Tommy.

Ils ressortirent de la cuisine en courant, débarquèrent dans la salle à manger et foncèrent vers la fenêtre ouverte de la proue. Au milieu du salon, ils s'arrêtèrent net : Petra se cogna contre Calder, qui rentra dans Tommy. Un homme en noir se tenait sur la terrasse. Il avait récupéré la planche sur laquelle Tommy était passé et inspectait la fenêtre à battants que les enfants avaient laissée ouverte.

Le trio Frank Lloyd était pris au piège.

# CHAPITRE 21
## *Trois petits oiseaux*

Calder, Petra et Tommy reculèrent en observant l'homme, qui tendit la main vers le rebord de la fenêtre. Il s'arrêta et reposa la planche. Dans la seconde avant qu'il pousse le battant, les enfants comprirent qu'ils avaient entrepris quelque chose de complètement fou, et de dangereux. Leurs parents ignoraient tous où ils étaient, et ils n'avaient pas laissé de mot.

Les trois amis firent volte-face et retraversèrent la salle à manger au pas de course en direction des portes battantes de la cuisine. Pendant qu'ils s'échappaient, une torche électrique clignota dans leur dos.

– Restons groupés ! dit Calder. Trois pour un, un pour trois !

Pendant quelques secondes interminables, ils tirèrent de toutes leurs forces sur la poignée de la sortie de service, mais la serrure ne cédait pas. Ils s'immobilisèrent tous les trois, l'oreille aux aguets. Pas un bruit ne venait du salon.

L'homme devait savoir que la sortie de service ne s'ouvrirait pas. Mais où était-il ? De quel côté arriverait-il ? Une longue galerie reliait la cuisine à la salle à manger et au salon. Ils venaient de débarquer par l'office, qui donnait aussi sur la salle à manger : ils avaient tourné en rond.

Une latte de parquet craqua bruyamment dans la salle à manger.

– À l'étage ! chuchota Tommy.

Instinctivement, les trois amis firent alors une chose qu'ils n'auraient jamais faite dans d'autres circonstances : ils se prirent la main, formant une chaîne humaine.

À côté, les portes battantes de l'office s'ouvrirent brutalement ; ils filèrent dans le dédale sombre qui leur avait semblé tellement magique à peine quelques minutes plus tôt.

Deux tournants effrayants se dressaient devant eux : au premier, le corridor de la cuisine donnait sur la galerie de l'arrière, et au suivant, la galerie débouchait sur les marches qui montaient au deuxième étage. Ils tournèrent les deux fois sans rencontrer personne et s'élancèrent dans l'escalier. Ils n'avaient pas le temps de se soucier du fantôme qu'ils avaient entendu marcher quelques instants auparavant : des pas lourds gagnaient du terrain derrière eux.

Une voix grave lança :

– C'est trois gosses ! Arrête-les !

Dès qu'ils foncèrent dans la première chambre, une lourde bâche leur tomba sur la tête et des bras vigoureux les plaquèrent contre le mur.

Calder se débattit, en donnant des coups de pied et de poing, Tommy mordit et Petra hurla « Aïe ! », quand les pas de leur poursuivant débarquèrent pesamment dans la pièce.

– Vous voulez souffrir ? Alors continuez comme ça, je casserai quelques bras sans aucun problème ! rugit une deuxième voix.

Le trio Frank Lloyd cessa de bouger. La bâche sentait

mauvais et quelque chose piquait le nez de Calder. Soudain, il éternua, puis éternua encore.

– Beurk, articula Petra en s'essuyant la joue.

On ôta la bâche. Les enfants se retrouvèrent devant deux hommes coiffés d'un bas noir qui leur masquait la tête. L'un d'eux portait des lunettes noires par-dessus sa cagoule.

– Une *fille* ?

– On dirait, répondit l'homme aux lunettes noires.

Il pointa le doigt vers Tommy.

– Quant à toi, je croyais t'avoir dit de ne pas t'approcher d'ici. Ça ne t'a pas suffi qu'on saccage ton appart ?

Ce fut Petra qui parla la première.

– On ne voulait rien de particulier... On est juste des enfants du quartier.

– Des enfants qui sont assez indiscrets pour nous faire tomber tous les deux, répliqua l'homme aux lunettes noires.

En parlant, il tira un couteau de sa ceinture et découpa plusieurs longues bandes dans la bâche. Il attacha les bras des enfants derrière leur dos, puis, en les poussant pour les placer en triangle, dos à dos, fit courir une longue bande tendue autour de leurs trois tailles. Ils s'agitèrent désespérément.

– Là. Vous vous rendrez dingues les uns les autres avant d'arriver où que ce soit. On dirait qu'on va devoir se grouiller pour boucler tout notre programme, ajouta l'homme aux lunettes noires à son compagnon, qui avait une longue tête mince.

– Tu veux dire qu'on va y mettre le feu ce soir ? demanda l'autre.

– On n'a pas le choix. Il y a plein de trucs inflammables qu'on peut utiliser, dans le garage. On ne peut pas garder ces trois petits oiseaux dans les parages.

– J'ai quatre fenêtres prêtes à partir, au premier étage. T'en as combien, ici ?

– Deux dans la grande chambre. Une de l'autre côté du couloir.

– Ça suffira pour nous emmener aux îles et trouver un acheteur pour la sculpture en jade.

Donc il avait bel et bien le poisson ! Tommy donna un coup de coude à Calder. L'homme aux lunettes noires le remarqua. Il se baissa pour se placer à la hauteur de Tommy, qui se figea – leurs nez se touchaient presque.

– Merci pour le poisson, petit. Parfois on gagne, parfois on perd...

Quand il se détourna, Petra s'efforça de retenir un sanglot.

– Et toi, la morveuse, n'essaie même pas le coup des larmes, dit-il sèchement.

S'il y avait une chose que Petra détestait, c'était qu'on la critique pour le seul fait d'être une fille. Une minuscule flamme de rage commença à crépiter au fond d'elle.

Les trois amis gardèrent le silence pendant que l'homme aux lunettes noires redescendait au rez-de-chaussée. L'autre prit un marteau et lança en ricanant :

– Soyez sages, les gosses, et fermez votre clapet !

Des « tap-tap-tap » et des grincements de bois émanèrent de l'étage d'en dessous, et Tommy reconnut les bruits étouffés qu'il avait entendus quelques nuits auparavant.

*Y mettre le feu*... Les trois enfants avaient deviné qu'ils parlaient de la maison. *On ne peut pas garder ces trois petits oiseaux*... Avaient-ils vraiment l'intention d'incendier la maison Robie avec les enfants ligotés à l'intérieur ?

Si les trois amis n'avaient pas été ensemble ce soir-là, ils auraient peut-être été moins forts, mais à trois, immobilisés ici le cœur battant, en réfléchissant à toute vitesse, ils arrivèrent rageusement à la même conclusion : ils n'abandonneraient pas.

Petra eut une idée.

– Monsieur ? Est-ce qu'on peut réciter une prière ?

L'homme au visage long poussa un soupir exagéré.

– Vous gênez pas ! aboya-t-il en traversant le couloir.

– P-E-P-S-P-S-P-A-P-Y-P-O-P-N-P-S-P L-D-L-E-L N-F-N-U-N-I-N-R-N, articula lentement la jeune fille d'une voix monocorde.

Elle appuya sur une lettre sur deux de chaque mot, espérant que si elle n'employait qu'un seul pentomino comme « pain » dans le code sandwich, ils pourraient communiquer à haute voix.

Il y eut un bref silence, puis l'homme s'écria :

– Hé ! C'est pas de l'anglais, ça !

– C'est du latin roumain. Nous avons appris ça à l'école.

Ça s'appelle « Le Chant des enfants perdus », improvisa Petra, en priant pour que l'homme n'ait pas étudié le latin et ne vienne pas d'Europe de l'Est.

Tommy répondit :

– C-T-C-O-C-I-C-T-C.

Et Calder ajouta :

– L-D-L-E-L-M-L-A-L-N-L-D-L-E-L I-A-I P-F-P-A-P-I-P-R-P-E-P Z-P-Z-I-Z-P-Z-I-Z.

Quand elle eut déchiffré sa suggestion, Petra se racla la gorge.

– Monsieur ? appela-t-elle. J'ai envie d'aller aux toilettes. C'est très pressant.

– Bon sang ! rugit l'homme en revenant à pas lourds dans la pièce. Évidemment, c'est moi qu'il a chargé de vous babysitter, hein ?

Les trois amis eurent la sagesse de ne pas répliquer. Quand l'homme dénoua la bande qui leur enserrait la taille, ils restèrent docilement immobiles. Petra hasarda même un sourire reconnaissant. L'homme lui détacha les mains.

– Et nous ? demanda Calder. Juste pendant qu'elle est aux toilettes ?

– Si vous tentez quoi que ce soit quand je vous aurai détachés, vous allez le regretter, dit l'homme aux garçons. Compris ? Mettez-vous face au mur pendant qu'elle va aux chiottes.

Calder et Tommy hochèrent la tête, les yeux baissés.

– Ne ferme pas la porte à clé ! ordonna l'homme à Petra pendant qu'elle entrait dans la salle de bains.

Dès qu'elle se fut assise bruyamment sur la cuvette, sans ôter son pantalon, il y eut un bruit de lutte sauvage et des grognements dans la chambre. Elle se leva d'un bond et revint en courant. Leur gardien, plié en deux, se tenait le ventre. Pendant que Tommy lui enveloppait frénétiquement la tête comme une momie avec les bandes de tissu, Calder s'agrippait à son dos dans une étreinte farouche, glissant et rebondissant tandis que l'homme essayait de le repousser. Petra se précipita à la rescousse, ajoutant son poids à celui de Calder, et l'homme tomba à genoux. Tommy fit rapidement un nœud et sauta de côté.

Calder relâcha l'homme et Petra s'écarta de Calder. Le garçon courut ouvrir l'une des fenêtres à battants ; Petra recula en chancelant, perdit l'équilibre et heurta le mur. L'homme s'était remis debout, à présent, et tirait sur le tissu qui lui couvrait les yeux et la bouche. En entendant le bruit de collision, il tendit brusquement un bras dans la direction de Petra. Tommy tapa du pied et l'homme se retourna vivement de l'autre côté.

Calder se faufila par la fenêtre et attrapa la main de Petra. Il tira de toutes ses forces. Son amie traversa l'ouverture comme une fusée et atterrit sur les genoux, suivie de Tommy. Ils escaladèrent péniblement des pots à fleurs en métal et sautèrent sur le toit du salon.

Un hurlement féroce jaillit de la maison, et l'homme au visage long se glissa par la fenêtre à leur suite. Son masque en soie noire était désormais posé sur sa tête comme un bonnet tire-bouchonné.

– Voyous ! hoqueta-t-il. Sales gosses !

L'homme aux lunettes noires, qui était dehors dans le garage pendant l'échauffourée, entendit les enfants atterrir sur le toit. Il courut sur la terrasse de devant et leva la tête vers eux.

– Venez, les gosses, chuchota-t-il pour lui-même. Je vous attraperai !

Calder, Petra et Tommy gagnèrent rapidement le rebord le plus proche. Leurs pieds glissaient sur les tuiles arrondies. Ils ne pouvaient pas aller plus loin sans tomber.

– Au secours ! lança Petra d'une voix étranglée, inaudible.

– Au secours ! reprirent Tommy et Calder – mais il n'y avait personne dans la rue.

L'homme au visage long n'était plus qu'à quelques mètres. Il rampait vers eux, les bras écartés. De la sueur luisait sur son visage et son cou.

– Je vous tiens ! siffla-t-il.

Agrippés les uns aux autres, les trois membres du trio Frank Lloyd se recroquevillèrent, terrifiés. Des larmes coulèrent en silence sur les joues de Petra et les dents de Calder se mirent à claquer sans qu'il puisse les contrôler. L'un des genoux de Tommy trembla si violemment qu'il heurta les tuiles dures.

Devraient-ils se lâcher ? Pourraient-ils survivre si on les poussait ? Comment avaient-il pu se retrouver sur un toit glissant, au milieu de la nuit, avec un criminel enragé ?

Petra pensa à sa famille et au fait qu'elle ne verrait jamais ses écrits publiés ; Calder pensa à ses parents et à tous les problèmes qu'il n'avait pas encore résolus ; Tommy pensa à sa mère et à Goldman.

Puis il se passa quelque chose de très bizarre. Ou bien les genoux de l'homme au visage long cédèrent sous lui, donnant l'impression que le toit ondulait comme une vague, ou bien le toit lui-même se souleva. Aucun des trois enfants ne fut jamais tout à fait sûr de ce qu'ils avaient vu.

L'homme s'envola soudain dans les airs, la bouche ouverte, les bras courbés comme des ailes raides. Il heurta le toit sur le flanc et dévala la pente nord dans un roulé-boulé, en s'agrippant désespérément aux tuiles. Chaque tuile qu'il attrapait lui restait dans la main. Il rebondit sur la gouttière et disparut dans les ténèbres, accompagné par le craquement de la terre cuite qui se brisait sur l'allée de ciment, en dessous.

Il y eut un grognement, puis le silence.

– Mais qu'est-ce que... ! s'exclama l'homme aux lunettes noires.

À pas lourds, il courut voir ce qui s'était passé, et les enfants entendirent un crissement épouvantable, suivi d'un fracas de métal qui tombe. Un nuage de débris et de poussière s'éleva de la terrasse. De nouveau, ce fut le silence.

Lentement, très lentement, le trio Frank Lloyd se démêla sans prononcer un mot. Avant tout, ils avaient besoin de savoir s'ils ne risquaient plus rien ou si les hommes repartaient à leur poursuite ; ils longèrent prudemment le rebord, centimètre après centimètre, pour revenir inspecter la fenêtre ouverte et la maison obscure. Ils repérèrent enfin l'homme au visage long étendu dans l'allée nord. À proximité, une jambe de l'homme aux lunettes noires dépassait d'un tas de plâtre et de cuivre tordu.

– Oh ! souffla Petra, riant et pleurant à moitié.

– On est sauvés ! murmura Tommy.

– On est vivants, hoqueta Calder.

– Vous avez vu ça ? lança Tommy d'une voix tremblante.

– Qu'est-ce qui s'est passé ? demandèrent les deux autres en même temps.

Tommy tira sur les tuiles autour de lui, mais aucune ne céda. Calder essaya aussi. Toujours rien. Il haussa lentement les épaules, incrédule.

Encore frissonnants, les trois amis gardèrent le silence. Ils n'étaient pas sûrs de comprendre ce qui venait de se produire. Petra tendit la main et tapota tendrement le toit.

– Merci, maison, chuchota-t-elle.

Elle déposa un baiser dans sa main et l'appliqua sur les tuiles.

Une brise agita les arbres et un rayon de lumière dansante balaya les fenêtres du deuxième étage, en s'arrêtant dans l'ouverture par où les enfants s'étaient échappés. Sous leurs yeux, la fenêtre se referma lentement et la forme de bonbon emballé, au milieu, scintilla.

# CHAPITRE 32

## *Perdu et retrouvé*

Les trois enfants furent ramenés dans la nacelle d'un camion de pompiers, et on appela leurs parents. La mère de Tommy dînait tardivement avec des amis près du campus. Les parents de Calder et de Petra assistaient à une fête à quelques rues de là. Ils étaient tous en route. Hébété, le trio Frank Lloyd était assis en rang le long du trottoir.

Tommy se prit la tête dans les mains et se couvrit les yeux.

– Quoi ? lui demanda Calder.

Il répondit d'un ton abrupt :

– Faut que je le dise.

– Quoi ? répéta Calder.

– C'est vraiment ici que j'ai trouvé le poisson. J'ai menti quand j'ai parlé du jardin japonais. J'étais juste tellement perdu, je ne savais pas quoi faire.

– Tu nous as menti quand tu nous as dit que tu avais menti ? voulut savoir Petra en le regardant comme s'il venait d'une autre planète.

– Pourquoi ? le questionna Calder.

– Je pensais y être obligé, expliqua Tommy. Mais maintenant, le type aux lunettes noires a le poisson. Tout va éclater au grand jour, et je me sentirai mal si tout le monde me prend pour une sorte de héros. Comme je l'ai découvert dans cette propriété en entrant par effraction, il appartient

sans doute à l'université, de toute façon. À présent ils peuvent le vendre, comme vous le disiez. Si on essayait de le vendre pour la maison Robie en racontant à tout le monde que je l'ai trouvé dans le jardin japonais, l'Office des jardins de Chicago pourrait me le reprendre, et qui sait ce qui se passerait ensuite.

Tommy jeta un coup d'œil à Petra et se rongea l'ongle du pouce.

À son grand soulagement, Petra ne se mit pas en colère.

– Bien vu.

Tommy haussa les épaules.

– Il faut savoir raisonner comme ça quand on est un découvreur...

Il s'interrompit et se racla la gorge.

– Et le trio Frank Lloyd compte beaucoup plus pour moi.

Petra le regarda, la tête penchée.

– Pour moi aussi, dit-elle.

Calder acquiesça. Il n'avait jamais entendu Tommy dévoiler autant ses sentiments.

Les trois amis se turent pendant un moment.

– Ce poisson a été perdu et retrouvé plein de fois, murmura finalement Petra. Wright l'a d'abord acheté, puis l'a perdu... Ensuite, tu l'as trouvé, et puis tu l'as perdu... L'homme aux lunettes noires l'a trouvé à son tour, et il va bientôt le perdre... Et maintenant, il revient à Wright.

– Ouais... approuva Tommy en réfléchissant. Peut-être

que parfois, quand on perd quelque chose, on finit par gagner autre chose. Seulement on ne peut pas savoir ce que sera la deuxième chose avant d'avoir perdu la première.

– J'aime bien cette idée, dit Petra. Comme si perdre, dans certains cas, c'était gagner. Je vais devoir y réfléchir.

– Oui, conclut Tommy en s'efforçant de cacher sa fierté.

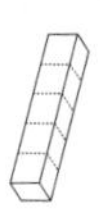

Les cinq parents du trio Frank Lloyd furent horrifiés quand ils découvrirent ce que leurs enfants avaient manigancé ; après les câlins, il y eut plusieurs heures de réprimandes et d'exclamations de colère cette nuit-là. Mais les adultes ne purent rester fâchés longtemps : après tout, leurs enfants avaient sauvé une œuvre d'art exceptionnelle, chose que seul Frank Lloyd Wright était parvenu à faire avant eux.

Le trio Frank Lloyd fut soulagé d'apprendre que l'homme aux lunettes noires et l'homme au visage long allaient s'en sortir. Dès qu'ils furent en état de parler, on les arrêta et on put reconstituer toute l'histoire.

Les deux hommes étaient frères. Petits criminels qui avaient toujours travaillé au service d'un patron, ils avaient entendu parler du projet pour la maison Robie par un informateur, à New York. Sans emploi à ce moment-là, ils avaient décidé de se porter candidats pour faire partie de l'équipe sans prévenir leur chef, dans l'espoir d'empocher tout ce qu'ils pourraient sur le chantier – c'étaient aux lampes qu'ils s'intéressaient. Ils avaient fabriqué de fausses références et s'étaient fait engager.

Le premier jour qu'ils avaient passé dans la maison, le 1er juin, ils avaient entendu parler du talisman de jade par Henry Dare. Le jeune homme était fier d'être l'arrière-petit-fils du maçon qui avait construit cette maison avec Wright. Il se voulait expert et partageait allègrement son secret de famille. Après tout, le bâtiment allait être démoli, et le poisson avait disparu depuis longtemps.

Tandis que l'équipe travaillait sur les plans pour démanteler la maison, le contremaître leur parla de l'immense valeur des vitraux et des dangers de l'installation électrique de Wright. Il fallait avouer que nombre de ses maisons avaient brûlé du toit au plancher. On leur avait donc conseillé de travailler avec lenteur et prudence.

Une idée malhonnête avait commencer à germer dans la tête des deux frères. Leur plan serait facile à exécuter : s'introduire dans la maison la nuit, desceller progressivement quelques vitraux et s'échapper avec leur butin pendant que la maison partait en flammes. À cause de l'incendie, personne ne saurait quelles fenêtres avaient été volées. Maintenant qu'ils travaillaient pour leur propre compte, l'homme aux lunettes noires et l'homme au visage long s'étaient fait des relations et pensaient vendre les vitraux de Wright pour une fortune.

Ils n'avaient pas prévu l'irruption du trio Frank Lloyd. Les deux frères jurèrent qu'ils n'auraient jamais laissé les enfants dans une maison en feu, mais Tommy, Calder et Petra n'en étaient pas si sûrs. *On ne peut pas garder ces trois petits oiseaux*... Ils auraient du mal à oublier ces paroles.

L'après-midi du 3 juin, le jour où miss Hussey avait lu l'article du journal à sa classe et où Henry Dare était tombé, l'homme aux lunettes noires était retourné tout seul dans la maison Robie, sous prétexte d'avoir oublié sa montre à l'intérieur, pendant que l'équipe s'en allait. Le contremaître, qui était en retard pour un rendez-vous chez le dentiste, lui avait ouvert la porte avec l'instruction de bien refermer en partant. En réalité, le faux ouvrier voulait ouvrir le verrou d'une fenêtre de la cuisine, afin que son frère et lui puissent revenir à la nuit tombée.

En cherchant une fenêtre au rez-de-chaussée, il avait vu un garçon traverser en courant le jardin du côté sud. Il l'avait observé pendant qu'il s'agenouillait, creusait furieusement quelques minutes, puis se levait d'un bond avec un petit objet dans la main.

De toute évidence, le garçon vibrait d'excitation. Il avait couru dans l'immeuble voisin. Alors qu'il se demandait, perplexe, ce qui s'était passé, le malfrat s'était rappelé le récit du maçon au sujet du talisman que Wright avait perdu.

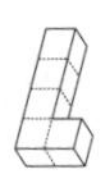

Une fois sorti de l'hôpital, Henry Dare avait assisté à la manifestation de la classe de miss Hussey, le 9 juin, et avait discuté avec la prof. Il avait démissionné du chantier et voulait aider à sauver la maison Robie. Par-dessus le marché… eh bien, la jeune femme était drôlement intéressante.

Il lui avait proposé une sortie à deux, et elle avait suggéré une excursion à l'Art Institute. Dès que Mr. Dare avait vu la galerie asiatique, il avait repensé à l'histoire du talisman de Frank Lloyd Wright et décidé d'entraîner miss Hussey dans une mini chasse au trésor dans le musée. Il aimait bien les surprises et il était curieux de ce qu'ils pourraient trouver. En outre, il espérait l'impressionner.

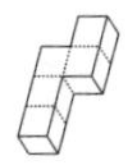

Un matin, l'homme aux lunettes noires avait vu Tommy sortir de chez lui. Il ne pouvait pas surveiller l'immeuble à chaque seconde, mais il savait que le garçon était souvent à la fenêtre et avait noté qu'elle était vide depuis plus d'une heure. Il avait demandé à son frère de pointer pour lui et s'était faufilé jusqu'à l'appartement de Tommy. Après avoir écouté à la porte, il avait crocheté la serrure pour entrer.

Il n'avait pas mis longtemps à trouver la sculpture. Et quand il l'avait apportée à Chinatown, ce soir-là, pour se renseigner sur sa valeur, il avait été époustouflé par ce qu'il avait appris. Les deux frères pourraient vivre comme des rois, une fois qu'ils auraient déniché un collectionneur prêt à l'acheter !

La nuit suivante, ils étaient revenus dans la maison Robie

pour continuer à travailler sur les fenêtres. C'était l'homme au visage long qui avait surpris Tommy devant, dans le massif de fleurs, et l'avait aveuglé avec le flash d'un appareil photo qu'il avait toujours sur lui en cas d'urgence de ce genre.

Le lendemain soir, l'homme au visage long attendait son frère en se reposant au deuxième étage lorsque le trio Frank Lloyd s'était introduit dans la maison. D'après ses aveux, il était endormi sous une bâche quand les gamins l'avaient réveillé, en courant à l'étage du dessous ; les pas que Calder, Petra et Tommy avaient entendus quelques instants plus tôt n'étaient donc pas les siens.

L'homme aux lunettes noires et l'homme au visage long furent jugés pour tentative de vol, agression et destruction volontaire de biens privés, et tous deux envoyés en prison.

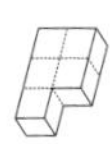

Quand John Stone, le président de l'université de Chicago, apprit ce que le trio Frank Lloyd avait fait pour sauver la maison, il fut très impressionné, et se laissa attendrir.

L'homme aux lunettes noires avait le poisson de jade dans la poche quand on l'avait dégagé du tas de débris, la nuit du 16 juin. Tommy expliqua à Mr. Stone qu'il avait trouvé le poisson dans le jardin de la maison Robie, et qu'il espérait qu'on pourrait le vendre pour contribuer à la rénovation. Calder, Petra et lui-même suggérèrent que l'université le porte à l'Art Institute pour une évaluation. C'est ce qui fut fait, et on apprit alors qu'il valait énormément d'argent.

L'université constitua un fonds Wright et commença les plans d'une rénovation importante. Quand la presse apprit que la maison avait été sauvée par trois enfants, qui avaient non seulement risqué leur vie, mais aussi découvert un véritable trésor dont ils avaient fait don à leur cause, l'argent entra à flots. La maison n'avait jamais autant attiré l'attention depuis la dernière fois que Wright en personne l'avait sauvée, près de cinquante ans plus tôt.

Mr. Stone annonça que la maison resterait ouverte au public pendant les travaux de restauration, afin de récolter plus d'argent et de soutien, et que l'université aménagerait une petite boutique de cadeaux et un appartement de gardien sur place. La boutique proposerait les livres et les croquis de Wright. Son gérant bénéficierait d'un petit salaire, mais aussi de l'avantage supplémentaire de l'appartement.

Quand Zelda Segovia se porta candidate pour le poste, le président fut ravi d'apprendre que Tommy, sa mère et Goldman voulaient vivre dans la maison. Il leur promit le côté nord-est du premier étage – une cuisine immense, un salon confortable et deux petites chambres, avec une entrée séparée. Et il ajouta qu'il n'y avait aucun problème, une fois que les travaux seraient terminés, pour qu'ils occupent le reste de la maison pendant les heures de fermeture au public.

Zelda Segovia rêvait de prendre son thé du matin sur la terrasse. Tommy, qui serait le premier enfant depuis 1926 à vivre dans cette maison, trépignait d'impatience. Goldman observa les travaux de restauration et attendit patiemment sa vue depuis une fenêtre dessinée par Wright.

# CHAPITRE 33
## *L'homme de verre*

Quand l'agitation retomba, les trois amis du trio Frank Lloyd convinrent qu'ils n'avaient pas terminé leur travail : ils n'avaient pas encore découvert la marque secrète que Wright avait laissée dans la maison Robie.

Après avoir expliqué leur mission, les enfants demandèrent à Mr. Stone s'ils pouvaient visiter la maison pendant la journée. Ils voulaient inviter miss Hussey, Mrs. Sharpe et Mr. Dare. Le président de l'université avait entendu le récit de Henry Dare sur le code de Wright, et il accepta. Tout le monde était curieux.

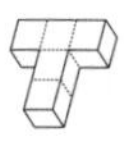

Le matin du 21 juin – curieusement, c'était la date où la démolition aurait dû commencer –, le président de l'université ouvrit la porte de la maison Robie et tout le monde entra. Mr. Dare désigna quelques exemples du travail de son arrière-grand-père sur les cheminées ; miss Hussey s'émerveilla devant le charme des vitraux de Wright. Mr. Stone secoua la tête et claqua gaiement la langue ; Mrs. Sharpe examina tout avec beaucoup d'attention.

À la lumière du jour, les couleurs des vitraux – crème, ambre et sépia – imprimaient des formes délicates qui ressemblaient à des plantes sur le tableau que formait la rue, derrière les fenêtres. Les enfants comprenaient enfin le plan ingénieux de Wright pour préserver l'intimité des habitants : de l'intérieur, les couleurs étaient pâles, mais de l'extérieur, elles chatoyaient comme de l'abalone poli et empêchaient de regarder à l'intérieur. Le filet qu'ils avaient vu la nuit se muait en écran de dentelle pendant la journée.

Tommy fit tout le tour de la pièce en souriant jusqu'aux oreilles, sautant presque de joie.

Petra resta au milieu du salon. Elle attendit que les adultes soient tous dans la salle à manger pour glisser à Calder et Tommy :

– J'ai apporté mon exemplaire de *L'Homme invisible*. Je vais lui demander de nous aider à trouver le code.

Seulement quelques jours plus tôt, Tommy se serait moqué de son idée, mais cette fois, il se contenta de dire :

– Cool.

Elle tira le livre de sa poche revolver, ferma les paupières et le feuilleta à l'aveuglette. Elle pointa le doigt au milieu d'une page, ouvrit les yeux et lut :

UN HOMME, S'IL ÉTAIT FAIT DE VERRE, SERAIT ENCORE VISIBLE.

Le trio Frank Lloyd échangea des regards.

– Il n'y a qu'une seule sorte de verre ici : celui des fenêtres, souligna Petra.

Le visage osseux de Mrs. Sharpe surgit à côté de la cheminée, les yeux brillants.

– C'est exact. Tu te rappelles quand j'ai dit que tu avais tout ce dont tu as besoin ?

– Oui... répondit Petra en réfléchissant. Donc, si un homme était fait de verre, il ne pourrait pas être l'homme invisible. Mais vous avez dit : « parfois visible, et parfois non »... Hmm.

Calder fronça les sourcils.

– J'ai déjà pensé aux fenêtres. J'ai compté les formes géométriques et j'ai essayé d'en faire un alphabet, mais ça ne marche pas. Il n'y a rien de ce côté-là.

– Et si on cherchait juste une forme d'homme dans l'une des fenêtres ? suggéra Tommy.

Mrs. Sharpe s'assit à côté du foyer.

– Vous savez où est le code, vous ? lui demanda Petra.

La vieille dame tapota son chignon, l'air vague.

– Ma mémoire me joue des tours...

– Voulez-vous monter avec nous ? lança miss Hussey depuis le pied de l'escalier qui menait au deuxième étage.

– On n'a pas encore fini de chercher ici, répondit Petra.

Les enfants se séparèrent et firent lentement le tour de la salle à manger et du salon. Mrs. Sharpe ne bougea pas.

– Hé !

Tommy s'arrêta devant une étroite fenêtre à battant glissée dans la proue, à l'extrémité nord du salon. Elle avait une fenêtre jumelle. Les panneaux symétriques se fondaient dans le mur en V, d'une manière qui les rendait presque invisibles.

– Regardez !

À présent, Tommy avait une voix radieuse et trépidante.

– Je crois que c'est un homme, comme dans un dessin d'enfant !

Calder et Petra se précipitèrent.

– Vous voyez ? Une tête... avec deux yeux et un nez.

– Et des bras pliés au niveau des coudes, ajouta Petra. *Trois* paires de bras, comme la femme-bouddha de la galerie d'art asiatique !

– Et de longues jambes avec de petits pieds en forme de triangle ! s'exclama Calder.

Il donna une grande tape dans le dos de son ami, et Petra lui topa fiévreusement dans la main.

Mrs. Sharpe se leva.

– Bravo !

Le trio Frank Lloyd rayonnait.

– On l'a trouvé ! hurla Tommy. Venez voir ! C'est la marque secrète de Frank Lloyd Wright !

Pendant que Mr. Stone, miss Hussey et Mr. Dare redescendaient précipitamment, Calder resta devant l'homme de verre et remua ses pentominos. Il tira le I de sa poche et l'appliqua sur le vitrail, comme une petite règle. En le déplaçant le long de la fenêtre, il compta entre ses dents.

Il fit volte-face et poussa un cri de joie.

– C'est un homme de Fibonacci !

Il refit la démonstration devant toute l'assemblée.

– Voici l'unité de mesure, dit-il en calibrant la largeur du chapeau posé sur la tête.

Ensuite, il mesura la largeur du visage.

– Deux.

Puis le col.

– Trois.

Puis la paire de bras la plus longue.

– Cinq.

Il dénombra treize parallélogrammes, qui formaient deux bandes le long du corps.

– Wright a employé les nombres de Fibonacci dans son code ! s'écria-t-il, ébloui. C'est peut-être ça, la partie invisible de sa marque secrète.

– En plus, on a mis treize jours à sauver la maison, ajouta Petra. Sans compter qu'on aura treize ans cette année.

– Et puis on est trois dans le trio Frank Lloyd.

– Et puis on est le 21 aujourd'hui. Je parie qu'il y a des tonnes d'autres nombres de Fibonacci, si on revient en arrière et qu'on regarde bien, dit Calder. Bizarre : c'est à croire que tout ça fait partie d'un grand système cohérent…

Le groupe resta silencieux un moment. Tout le monde avait la tête bourdonnante d'idées.

– Je connais l'existence de l'homme de verre depuis des années et, curieusement, ça ne m'a jamais étonnée, dit Mrs. Sharpe. Après tout, c'était une maison conçue pour des enfants. Mais les nombres de Fibonacci… alors ça, c'est très intrigant, je dois avouer.

Calder se gratta gaiement la tête avec son pentomino en forme de I.

Le téléphone portable du président se mit à sonner, produisant un écho dans la maison vide.

– Excusez-moi, marmonna-t-il en se détournant pour prendre l'appel.

Mr. Stone inscrivit soigneusement plusieurs mots dans un petit carnet qu'il avait tiré de sa poche.

– Oui, absolument, c'est tellement fabuleux ! Je vais le leur annoncer.

En rangeant son téléphone, il sourit au groupe.

– Quel sens du moment ! C'était un documentaliste qui consulte les archives de Wright pour l'année 1905, en quête d'une allusion au poisson de jade. Nous essayons de vérifier qu'il lui a bel et bien appartenu, avant de le vendre, car naturellement, cela lui donnera d'autant plus de valeur. Il m'a dit qu'il avait trouvé une feuille de papier à lettres à l'en-tête d'un hôtel japonais avec cette note inscrite au crayon d'esquisses : *Acheté petit poisson de jade aujourd'hui. Vais le garder.*

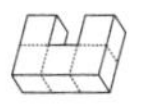

Quand ils sortirent de la maison Robie, quelques minutes plus tard, le président de l'université les salua et retourna précipitamment à son bureau, dans le campus. Les autres restèrent dehors, les yeux plissés dans la lumière matinale.

Un moineau longea le muret de la terrasse en sautillant. Le soleil scintillait sur les vitraux de Wright et les feuilles d'un ginkgo se balançaient comme des éventails dans la brise de juin.

– C'est une nouvelle incroyable, cette note de 1905, déclara miss Hussey. Quelle coïncidence qu'elle soit arrivée juste au moment où nous avons trouvé le code de Wright !

– Je me demande ce qu'on a avec les coïncidences, dit Petra. Ça arrive à d'autres gens ?

– Je ne pense pas que ce soit si rare que ça, répondit Mrs. Sharpe. À mon avis, la plupart des gens ne savent pas quoi en déduire, alors ils n'y font pas attention. Pour moi, les coïncidences sont un peu comme les répétitions de motifs géométriques dans la maison Robie : plus on regarde, plus on en voit.

Miss Hussey l'approuva d'un hochement de tête.

– Peut-être que les coïncidences sont juste un écho subtil dans le déroulement de la vie des gens, pareil aux échos subtils entre les formes et les proportions que Wright a dessinées.

– Ça me plaît bien, ça, dit Calder.

– Des échos qui vous disent quelque chose, ajouta Petra.

Tommy sourit en sortant de sa poche un sachet en plastique usé.

– C'est l'heure de la pêche !

# CHAPITRE 24
## *L'été à Hyde Park*

À la fin de l'été, le poisson en jade de Wright avait été racheté par l'Art Institute, ainsi que l'inscription sur le papier à lettres d'un hôtel. Le poisson et l'inscription eurent droit à une vitrine spéciale dans la galerie d'art asiatique.

Fait intéressant, il n'y eut plus d'autres perturbations inexpliquées dans la maison Robie pendant les mois de rénovation – plus de portes qui claquent, de petites voix enfantines ou de fenêtres traîtresses. Aucun ouvrier ne fut blessé.

Calder, Petra et Tommy continuèrent à se réunir régulièrement dans la cabane des Castiglione. Calder passa presque tout l'été à tailler gaiement de longs morceaux de bois, pour en faire des cubes parfaits et fabriquer plusieurs jeux de pentominos en trois dimensions. Quand il en eut treize, il construisit une maquette de la maison Robie.

Petra commença son premier livre. Le personnage principal était une fille, qui était parfois visible et parfois non, et dont les deux meilleurs amis étaient des garçons.

Calder et Petra accompagnèrent souvent Tommy dans ses expéditions de glanage ; il y avait des tas d'endroits où creuser à Hyde Park. Sa mère lui donna un ravissant poisson en pierre, un objet ancien qui venait d'Amérique du Sud, et il entreprit de reconstituer sa collection. Elle lui donna également un compas et un carnet pour qu'il y trace le plan de chaque terrain de fouille où il trouverait quelque chose.

Après chaque averse, cet été-là, on remarqua çà et là, dans la boue qui s'amassait en bordure des jardins et des trottoirs, les traces de pas d'un homme aux pieds nus. Personne n'y prêta spécialement attention. Mais bon, c'était Hyde Park, les rues étaient désertes et tout était possible… ou presque.

# NOTE DE L'AUTEUR

## *L'histoire de Wright*

J'ai lu de nombreux ouvrages sur la vie et l'œuvre de Frank Lloyd Wright avant de commencer à écrire ce livre. J'ai essayé de me conformer autant que possible à la réalité, mais il y a quelques détails que j'ai ajoutés ou modifiés. Les voici :

1. Même si l'histoire de la maison Robie est exacte, y compris les deux occasions où elle faillit être démolie, en 1941 et en 1957, le bâtiment n'est pas menacé de nos jours. Il est désormais classé comme monument historique et le Fonds de préservation Frank Lloyd Wright finance son entretien. Plusieurs millions de dollars ont été consacrés à la rénovation de l'extérieur du bâtiment, et la restauration de l'intérieur est toujours en cours. La maison est ouverte au public pendant la journée.

Le sort qui menace la maison Robie dans ce livre est proche de ce qui est arrivé à un grand nombre de superbes bâtiments célèbres. Des centaines de vitraux de Wright et plusieurs pièces de ses constructions sont aujourd'hui dans des musées. Malheureusement, les œuvres d'art aussi vastes et fragiles sont difficiles à conserver en un seul morceau.

2. L'histoire du poisson m'est venue à l'esprit quand j'ai mieux connu Mr. Wright : il m'a semblé que cela aurait pu se produire. Et peut-être que ça s'est produit, d'ailleurs... Au fil des années, il a rapporté de nombreux trésors du Japon, et c'était à la fois un rêveur et un homme d'une immense ambition. Les légendes asiatiques de l'histoire sont authentiques, et le poisson en lui-même existe. Je l'ai « emprunté » pour *L'Énigme de la maison Robie* à la collection de la galerie Arthur M. Sackler de la Smithsonian Institution, à Washington.

3. L'homme de verre est toujours précisément à la même place depuis 1910. On peut le voir à n'importe quelle heure du jour, en n'importe quelle saison. Il apparaît sur de nombreux croquis et photographies de la maison Robie. (Il est peut-être même sur la couverture de ce livre...)

Mr. Wright s'est peu étendu, dans ses écrits, sur la signification des motifs de ses vitraux, et n'a jamais mentionné l'existence de l'homme de verre. Cela ne devrait peut-être pas nous surprendre : Wright comprenait la magie de la découverte, et ne divulgua jamais ses meilleurs secrets.

# REMERCIEMENTS

Il y a beaucoup de monde que j'aimerais remercier. Les voix de mes trois enfants, Jessie, Althea et Dan, m'accompagnent en permanence pendant que j'écris, de même que les voix de mes anciens élèves à l'école expérimentale de l'université de Chicago. Bill Klein a pris de nombreuses photos qui m'ont aidée à rédiger ce livre, m'a apporté une quantité infinie de sandwichs à mon bureau dans la buanderie, et continue d'être le meilleur mari du monde.

L'équipe de Scholastic a été délicieuse. Remerciements tout particuliers à ma géniale éditrice, Tracy Mack, dont la vision et l'œil de lynx m'ont si souvent tirée d'affaire, et à Leslie Budnick, Marijka Kostiw, Liz Szabla, Charisse Meloto, Jean Feiwel, Jazan Higgins et Barbara Marcus. Mes agents, Doe Coover et Amanda Lewis, ont été formidables tout du long.

D'autres amis m'ont aidée de mille manières : Anne Troutman, Barbara Engel, Cindy Garrison, Lucy Bixby, Dorothy Strang et Irene Patner m'ont écoutée en me donnant du chocolat et des idées, de même que Bob Strang, génial penseur mathématicien. Will Balliett, Betsy Platt, Nancy et Whitney Balliett ont été enthousiastes et m'ont soutenue à chaque étape. John Klein m'a donné des informations d'expert en droit sur les trésors trouvés.

Enfin, et surtout, Janet Van Delft, directrice de la maison Robie, a joué un rôle important dans la rédaction de ce livre : j'ai dû retourner la visiter à de nombreuses reprises, et elle m'a patiemment ouvert la porte par tous les temps et aux heures les plus folles de la journée.

Merci à tous.

# TABLE DES MATIÈRES

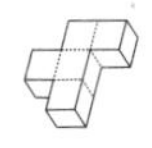